中華國學經典百部

精華本

六韬 三略

［西周］太公望
［西汉］黄石公 著
游一行 译注

中国书店

图书在版编目（CIP）数据

六韬·三略 /（西周）太公望，（西汉）黄石公著；游一行译注．—北京：中国书店，2023.10
（中华国学经典百部：精华本）
ISBN 978-7-5149-2963-8

Ⅰ．①六… Ⅱ．①太… ②黄… ③游… Ⅲ．①兵法—中国—古代②《六韬》—译文③《三略》—译文 Ⅳ．① E892.2

中国版本图书馆 CIP 数据核字（2022）第 075426 号

六韬 三略

〔西周〕太公望 〔西汉〕黄石公 著 游一行 译注

责任编辑：李宏书

出版发行：中国书店
地　　址：北京市西城区琉璃厂东街 115 号
邮　　编：100050
电　　话：（010）63171753（总编室）
　　　　　（010）63017857（发行部）
印　　刷：三河市嘉科万达彩色印刷有限公司
开　　本：787mm × 1092mm　1/32
版　　次：2023 年 10 月第 1 版第 1 次印刷
字　　数：133 千
印　　张：6（全 300）
书　　号：ISBN 978-7-5149-2963-8
定　　价：1490.00 元（全 50 册）

前言

《六韬》《三略》是中国古代重要的军事著作，唐代的黄滔在《全唐文·祭南海南平王》中记载，“天生大贤，浚六韬三略之才谋”。这两本书皆为战略战术上的集大成者，后来被用来泛指兵书、兵法。

《六韬》通篇为周文王、武王和太公的问答之辞，讲述的是治国、治军的策略和战争中的战略战术，受到历代兵家武将的重视，司马迁《史记·齐太公世家》称“故后世之言兵及周之阴权皆宗太公为本谋”。一般认为《六韬》成书于战国中晚期，成书在太公故地齐地。

《六韬》以政治战略为主，兼顾军事战略，是军事战略和实战经验的总结，对前代兵法兵书也有所借鉴吸收。其中《龙韬·论将》中“将者，国之辅”的说法即来源于《孙子兵法·谋攻》；《犬韬·教战》中“使一人学战，教成，合之十人”一段，与《吴子·治兵》和《尉缭子·勒卒令》等相关内容大致相同。《六韬》对儒家的民贵君轻、道家的无为而治和法家的赏罚分明等思想都有所杂糅借鉴，同时对朴素的民本思想亦多有涉及，对后世影响颇为深远。

《三略》又叫《黄石公三略》，是中国古代第一部专讲兵法战略，兼顾军事战略的奇书，传说为西汉初期黄石公传授给张良，《史记·留侯世家》记载：“良尝闲从容步游下邳圯上，有一老父……出一编书，曰：‘读此则为王者师矣……’旦日视其书，乃《太公兵法》也。”但据《汉书·艺文志》说：“汉兴，张良、韩信序次兵法，凡百八十二家，删取要用，定著三十五家……至于孝成（汉成帝），命任宏论次兵书为四种（兵权谋、兵形势、兵阴阳、兵技巧）。”班固以此为基础编写的《汉书·艺文志》，并没有《三略》一书的记录，可见《三略》成书时间应该在东汉末年到魏晋时期。

《三略》全书分为上略、中略、下略。上略主要讲设立礼赏、辨别奸雄和显现成败，中略讲述区别德行、研究权变，下略剖析道德，明察安危得失，分辨善恶。全书杂糅儒家仁、义、礼，法家的权、术、势，道家的以柔克刚等思想，全书主要论述政治策略，而在军事方面的论述相对较少。该书问世以来，受到历代政治家、军事家和学者的重视。南宋晁公武称其“论用兵机之妙、严明之决，军可以死易生，国可以存易亡”。

本书分为原文、注释和译文三部分。原文对照多个版本进行了仔细校正，力求准确无误；注释重在解析疑难字词、通假字以及易与今义混淆的字词，力求简练易懂；译文参考多个版本和注疏讲义进行解读，力求明白晓畅，接近现代汉语的用语习惯，若有疏漏错误之处，欢迎指正。

目 录

六韬

《六韬》又称《太公六韬》《太公兵法》，是中国古代一部有重要价值的兵书。当今学者多认为《六韬》成书于战国时期，而非《隋书》中所记载的姜太公吕望所著。

《六韬》全篇采用周文王、武王与太公问答的行文方式，论述治国、治军和战术战略等方面的理论。

《六韬》现存六卷六十篇，近两万字，在国内外有着深远影响，北宋神宗元丰年间被列为《武经七书》之一，成为武学必读之书，并于16世纪传入日本，18世纪传入欧洲，现已被翻译成日、法、朝、越、英、俄等多种文字。

文　韬

文师

本篇讲文王初见太公，太公以垂钓作比，劝文王“以国取天下”，认定商朝虽然表面强大，但实际上已暮气沉沉，周可以取而代之，并讲明天下并非一个人的天下，而是天下人的天下，只有与天下人共谋福利，才能让天下百姓归顺。

【原文】

文王将田①，史编②布卜曰：“田于渭阳，将大得焉。非龙非螭③，非虎非罴④，兆得公侯，天遗汝师，以之佐昌，施及三王。”

文王曰：“兆致是乎？”

史编曰：“编之太祖史畴，为禹占，得皋陶⑤，兆比于此。”

【注释】

①田：通“畋”，打猎。

②史编：史，官职；编，人名。

③螭（chī）：古代传说中的一种无角的龙。

④罴（pí）：棕熊，熊的一种，能爬树游水。

⑤皋陶（gāo yáo）：古代传说中的东夷族首领，曾为舜帝掌管刑法。

【译文】

文王将要去打猎，史官编将占卜的结果告诉他："大王应在渭水北岸打猎，在那儿将大有收获。您得到的既不是龙也不是螭，既不是虎也不是棕熊。卜兆显示您将得到一位公侯，他是上天赐给您的老师，让他辅佐您昌盛，恩惠能够绵延三代帝王。"

文王说："卜兆真是这样的结果吗？"

史编说："我的太祖史畴，为禹占卜，得到皋陶，当时的卜兆和今天的很相似。"

【原文】

文王乃斋三日，乘田车，驾田马，田于渭阳，卒见太公①，坐茅以渔。

【注释】

①太公：即吕望，姜姓，字牙，因受封于吕地，便以吕为氏。

【译文】

文王于是斋戒三天，乘上打猎的车，驾着打猎的马，到渭水北岸打猎，结果看到太公坐在茅草丛生的河边垂钓。

【原文】

文王劳而问之曰："子乐渔耶？"

太公曰："臣闻君子乐得其志，小人乐得其事。今吾渔，甚有似也。"

文王曰："何谓其有似也？"

太公曰："钓有三权①：禄等以权，死等以权，官等以权。夫钓以求得也，其情②深，可以观大矣。"

【注释】

①权：权术。

②情：情理。

【译文】

文王慰劳太公并问他道："你喜欢钓鱼吗？"

太公答："我听说君子以实现自己的志向为乐，小人以做好他自己的事为乐，现在我在这里钓鱼，与这种情形很相似。"

文王说："为什么会说很相似呢？"

太公说："钓鱼有三种权术：以饵钓鱼，就如同以利禄收买人才，以重金收买死士，以官职招揽人才。但凡垂钓，都是为了有所收获，但其中的道理很深奥，以此可以知晓天下大事。"

【原文】

文王曰："愿闻其情。"

太公曰："源深而水流，水流而鱼生之[1]，情也；根深而木长，木长而实生之，情也；君子情同而亲合[2]，亲合而事生之，情也。言语应对者，情之饰也；言至情者，事之极也。今臣言至情不讳，君其恶[3]之乎？"

【注释】

①鱼生之：《史记·货殖列传》记载："渊深而鱼生之，山深而兽往之。"

②亲合：亲指外亲、姻亲，合指融洽、和睦。

③恶（wù）：厌恶。

【译文】

文王说："我愿意听听其中的道理。"

太公说："源头深水才能流动起来，水流不停，鱼才能在其中生存，这是合乎实情的；树根扎得深，树木才能枝繁叶茂，才能生出果实，这是合乎实情的；君子情意相投才能亲密协作，亲密协作才能成就大事，这是合乎实情的。用来应对的语言，是真情的文饰，说出至情之言，是最好的事。如今我毫不避讳地说出至情之言，您听了会厌恶吗？"

【原文】

文王曰："惟仁人能受直谏，不恶至情。何为其然？"

太公曰："缗[1]微饵明，小鱼食之；缗调饵香，中鱼食之；缗隆饵丰，大鱼食之。夫鱼食其饵，乃牵于缗；人食其禄，乃服于君。故以饵取鱼，鱼可杀；以禄取人，人可竭；以家取国，国可拔；以国取天下，天下可毕。呜呼！曼曼绵绵，其聚必散；嘿嘿昧昧[2]，其光必远。微哉！圣人之德，诱乎独见。乐哉！圣人之虑，各归其次，而树敛[3]焉。"

【注释】

①缗：鱼线。

②嘿（mò）嘿昧昧：看起来无声无息、昏暗不明的样子。

③树敛：建立起凝聚力。

【译文】

文王说："只有仁德的人才能接受直言规劝，不会厌恶至情之言，为何会如此呢？"

太公说："鱼线细而鱼饵明显，小鱼就会前来吞食；鱼线粗细适中而鱼饵味香，中等大小的鱼就会前来吞食；鱼线粗而鱼饵丰盛，大鱼就会吞食。鱼吞食鱼饵，就会被鱼线牵绊；人以国家的俸禄为食，就会服从于国君。所以用鱼饵钓鱼，鱼就可以被捕获；以利禄取人，人就能竭尽全力；以家取国，国就能被攻克；以国取天下，天下就能全部拥有。啊！看起来漫长不绝的，有聚必定会有散；看起来沉静不露锋芒的，光芒必能照到远处。微妙啊！圣人的德行，在于以独到的见解引导他人。喜悦啊！圣人的思虑，让人们各安其所，从而形成凝聚人心的效果。”

【原文】

文王曰：“树敛若何，而天下归之？”

太公曰：“天下非一人之天下，乃天下之天下也。同天下之利者则得天下，擅天下之利者则失天下。天有时，地有财，能与人共之者，仁也。仁之所在，天下归之。免人之死，解人之难，救人之患，济人之急者，德也。德之所在，天下归之。与人同忧同乐，同好同恶者，义也。义之所在，天下赴之。凡人恶死而乐生，好德而归利，能生利者，道也。道之所在，天下归之。”

文王再拜曰：“允①哉！敢不受天之诏命②乎！”乃载与俱归，立为师。

【注释】

①允：得当。

②诏命：泛指上对下的命令公告。

【译文】

文王说：“如何建起凝聚力而让天下归顺呢？”

太公说：“天下不是一个人的天下，是天下人的天下。能够同天下人共享天下之利，就能够获得天下；若独占天下的利益就会失去天下。天有四时变化，地有财富生出，能与天下人共享天时地财的，就是仁。仁所在之处，天下的人都会归向于此。免人之死，解人之难，救人之患，济人之急的，就是德。德所在之处，天下人都会归向于此。与天下人同忧虑同欢乐，同欢喜同憎恶，就是义。义所在之处，天下人都会投奔于此。凡是人都讨厌死亡而以生存为乐，都喜欢德行而趋向有利，能为他人谋得利益的，就是道。道所在之处，天下的人都会归顺于此。”

文王一拜再拜说：“真得当！我怎么敢不接受来自上天的诏命呢！”于是和太公一同乘车而归，拜他为国师。

盈虚

本篇讲述国家盛衰成败的关键在于君主贤明与否，而非寄托于自然。为君应当如尧帝一样，推行德政、举贤任能、减轻劳役、赏罚分明、体恤弱者。

【原文】

文王问太公曰：“天下熙熙[①]，一盈一虚，一治一乱。所以然者，何也？其君贤不肖[②]不等乎？其天时[③]变化自然乎？”

太公曰：“君不肖，则国危而民乱；君贤圣，则国安而民治。祸福在君，不在天时。”

【注释】

①熙熙：纷杂的样子。

②不肖：不贤。

③天时：自然运行的时序变化。

【译文】

文王问太公说："天下纷纷杂杂，有时兴盛，有时衰败，有时安定，有时动乱。之所以这样是因为什么呢？是君主贤与不贤的差别呢，还是天时变化自然而成呢？"

太公说："君主不贤，国家就会遭遇危险，百姓就会叛乱；君主贤明，国家就会安定，人民就会安享太平。国家的祸福在于君主是否贤明，与天时没有关系。"

【原文】

文王曰："古之圣贤，可得闻乎？"

太公曰："昔者，帝尧①之王②天下，上世所谓贤君也。"

【注释】

①帝尧：传说中上古的贤君，陶唐氏，名放勋。

②王（wàng）：称王。

【译文】

文王说："古代贤君的事迹，能否讲给我听一听呢？"

太公说："过去尧帝统治天下，他就是上古所说的贤君。"

【原文】

文王曰："其治如何？"

太公曰："帝尧王天下之时，金银珠玉不饰，锦绣文绮不衣，奇怪珍异不视，玩好之器不宝，淫佚之乐不听，宫垣屋宇不垩①，甍桷椽楹不斫②，茅茨③遍庭不剪。鹿裘御寒，布衣掩形，粝粱之饭，藜藿④之羹。不以役作之故，害民耕绩之时，削心约志，从事乎无为。吏忠正奉法者，尊其位；廉洁爱人者，厚其禄。民有孝慈者，爱敬之；尽力农桑者，慰勉之。旌别淑德，表其门闾。平心正节，以法度禁邪伪。所憎者，有功必赏；所爱者，有罪必罚。存养天下鳏寡孤独，振赡祸亡之家。其自奉也甚薄，其赋役也甚寡，故万民富乐而无饥寒之色。百姓戴其君如日月，亲其君如父母。"

文王曰："大哉！贤君之德也。"

【注释】

①垩（è）：白色的土，可以用来粉刷墙壁。

②甍（méng）：屋脊。桷椽（jué chuán）：屋梁上承受草或瓦的木条，圆的为椽，方的为桷。楹（yíng）：柱子，指厅堂的前柱。斫（zhuó）：砍，雕刻。

③茨：蒺藜。

④粝（lì）粱、藜藿（lí huò）：指粗糙难以下咽的饭菜。

【译文】

文王说："帝尧是如何治理天下的呢？"

太公说："帝尧做君主时，不用金银珠玉作为装饰，不穿锦绣华美的衣裳，不观赏珍奇奢华的物品，不收藏古玩宝物，不听淫靡放纵的音乐，不粉刷宫殿的墙壁，不雕饰屋脊梁柱，不修剪庭院茅草，以鹿皮御寒，以粗布遮体，吃粗粮饭，喝野菜汤。不因服劳役兵役耽误农时，清减欲望约束心志，无为而治。官吏中忠诚守法的，提高他的官职；廉政爱民的，增加他的俸禄。民众中孝敬老人爱护幼小的，就爱护尊重他；尽心从事农桑的，就慰问勉励他。鉴别善良有美德的人，对他的门庭予以表彰。内心公正，操守端正，以法制禁止邪恶诈伪。对待厌恶的人，有功必赏；对待喜爱的人，有罪必罚。他保全照顾鳏寡孤独的人，救济遭遇祸患的人家。帝尧自己生活却很简朴，很少征用赋税劳役，所以天下百姓富足，面无饥寒之色。百姓拥戴他就像景仰日月一般，亲近他就如同亲近父母一般。”

文王说：“伟大啊，贤君的高尚德行！”

国务

本篇讲述治国关键在于爱民，让民可获利，安居乐业，减轻刑罚赋税，避免伤害激怒百姓。

【原文】

文王问太公曰：“愿闻为国之大务。欲使主尊人安，为之奈何？”

太公曰：“爱民而已。”

文王曰：“爱民奈何？”

太公曰：“利而勿害，成而勿败，生而勿杀，与而勿夺，乐而勿苦，喜而勿怒。”

文王曰："敢请释其故。"

太公曰："民不失务则利之，农不失时则成之，省刑罚则生之，薄赋敛则与之，俭宫室台榭[1]则乐之，吏清不苛扰则喜之。民失其务则害之，农失其时则败之，无罪而罚则杀之，重赋敛则夺之，多营宫室台榭以疲民力则苦之，吏浊苛扰则怒之。故善为国者，驭[2]民如父母之爱子，如兄之爱弟。见其饥寒则为之忧，见其劳苦则为之悲。赏罚如加于身，赋敛[3]如取己物，此爱民之道也。"

【注释】

①宫室台榭：指当时豪华的建筑。

②驭：控制，统治。

③赋敛：征收赋税。

【译文】

文王问太公说："希望能听您讲述治国的要务。如何才能让国君被尊敬、人民得到安定呢？"

太公说："爱民而已。"

文王说："如何爱民呢？"

太公说："要有利于人民而不损害他们，要成全他们而不是破坏他们，让民众能够生存而不是杀害他们，要给予他们而不是剥夺他们，要让他们快乐而不让他们受苦，让他们高兴而不是让他们愤怒。"

文王说："冒昧请问其中的缘故。"

太公说："百姓不失去本务就是给予他们利益，不剥夺农时就是促成他们的生产，减免刑罚就是让他们能够生存，减轻赋税就是给予他们财富，少兴建土木就是让他们安乐，官吏清廉不苛刻就是让百姓高兴。如果让百姓失去本务，就是损害他们的利益，让农民耽误农时就是破坏他们的生产，没有罪也受到惩罚就是杀害他们，加重赋税就是掠夺他们的财物，大兴土木营造宫廷台阁就是让百姓疲惫痛苦，官吏腐败苛刻就会激怒百姓。所以善于治国的人，统治人民就如同父母爱惜子女一样，如同兄长爱护弟弟一样。看到他们饥寒就为他们担心，看到他们劳累辛苦就为他们难过，对百姓的赏罚就如同加在自己身上一样，征收赋税就如同拿走自己的财物一样，这就是爱民之道。”

大礼

本篇主要论述君臣之间的行为准则：上要体察下情，施及恩惠，下要服从号令，安守职责。更为重要的是，君主要安稳淡定，体察民情，才能坐拥天下。

【原文】

文王问太公曰：“君臣之礼如何？”

太公曰：“为上唯临①，为下唯沉②。临而无远，沉而无隐。为上唯周，为下唯定。周③，则天也；定，则地也。或④天或地，大礼乃成。”

【注释】

①临：居高临下。

②沉：低伏在下，处下服上。

③周：遍及，周到。

④或：有的人。

【译文】

文王问太公说："君臣之间的礼法该如何呢？"

太公说："做君主的只要居高临下，做臣子的只要沉稳顺从。君主居高临下，但不要疏远臣子；臣子沉稳顺从，但不能隐瞒实情。做君主的只要周全，做臣子的只要安稳守成。周全的就是天，安稳的就是地。君主效法天，臣子效法地，君臣之间的礼就能得到确立。"

【原文】

文王曰："主位如何？"

太公曰："安徐而静，柔节先定[1]。善与而不争，虚心平志，待物以正。"

【注释】

①安徐而静，柔节先定：亦见于《管子·九守·主位》，人居位应当安详而镇静，以柔和为节，先能定己然后能够定人。

【译文】

文王说："君主如何居其位呢？"

太公说："君主居位应当安稳从容，以柔和为节，让自己能够安定下来。善于施与恩惠却不和臣民争利，虚心静气待人，以公正态度对待事物。"

【原文】

文王曰："主听如何？"

太公曰："勿妄而许，勿逆[1]而拒。许之则失守[2]，拒之则闭塞。高山仰之，不可极也。深渊度之，不可测也。神明之德，正静其极。"

【注释】

①逆：意见不同。

②失守：失去主见。

【译文】

文王说："君主应当如何听取意见呢？"

太公说："不要轻易应许，不要因为意见不同就拒绝。轻易应许就会失去主见，一味拒绝就容易造成闭塞。君主应当如高山一样，让臣子仰望而看不到顶峰，如同深渊一般，让臣子无法测出深度。拥有像神明一样的德行，以'正'和'静'作为准则。"

【原文】

文王曰："主明如何？"

太公曰："目贵明，耳贵聪，心贵智。以天下之目视，则无不见也；以天下之耳听，则无不闻也；以天下之心虑，则无不知也。辐辏[①]并进，则明不蔽矣。"

【注释】

①辐辏（còu）：如车轮的辐条一般聚集到中心。

【译文】

文王说："君主如何才能明察一切呢？"

太公说："眼睛贵在明察事物，耳朵贵在灵敏易辨，心灵贵在聪慧通达。君主如果能以天下人的眼光去看，就没有什么看不见的；君主以天下人的耳朵去听，就没有什么听不到的；君主以天下人之心去思虑，就没有什么不知道的。君主如果能像辐辏一样汇集天下人的聪明才智，就能不被蒙蔽，明察一切了。"

明传

本篇讲述文王病重时向太公请教传给后代的治国之道，太公提出要想国家安稳昌盛，就要做到柔和平静、恭敬谨慎、公正有容，远离懈怠和私欲的干扰。

【原文】

文王寝疾①，召太公望，太子发在侧。

曰："呜呼！天将弃予。周之社稷，将以属②汝。今予欲师至道之言，以明传之子孙。"

太公曰："王何所问？"

文王曰："先圣之道，其所止，其所起，可得闻乎？"

太公曰："见善而怠③，时至而疑，知非而处，此三者，道之所止也。柔而静，恭而敬④，强而弱，忍而刚，此四者，道之所起也。故义胜欲则昌，欲胜义则亡；敬胜怠则吉，怠胜敬则灭。"

【注释】

①寝疾：卧病在床。

②属（zhǔ）：托付。

③怠：轻慢。

④敬：严肃慎重，侧重内心的态度。

【译文】

文王卧病在床，召见太公吕望，太子姬发在旁边。

文王说："唉！上天将要抛弃我了！周国的江山社

稷，全都托付给你了。如今我想要请教一些治国安邦之道，明白地传授给我的子孙。”

太公说：“大王想要问什么呢？”

文王说：“古代圣君治国安邦之道，它从哪里开始，又在哪里终止，可以讲给我听一听吗？”

太公说：“见到国势良好就心生怠慢，时机来到却迟疑不定，明知不对还安然处之，这三者，就是道终止的原因。柔和平静，谦恭谨慎，强弱兼济，刚正有容地处理事务，这就是道开始兴盛的原因。所以道义战胜欲望，国家就会昌盛，欲望战胜道义，国家就会衰亡。谨慎战胜懈怠事情就会顺利，懈怠战胜谨慎事情就会衰败。”

六守

本篇讲述君主选拔人才的六条标准：仁爱、正直、忠实、诚信、勇敢、谋略，对其予以考察再选择任用，并提出君主必须控制农业、手工业、商业这几个关乎国家存亡的经济命脉。

【原文】

文王问太公曰：“君国主①民者，其所以失之者，何也？”

太公曰：“不慎所与也。人君有六守、三宝。”

文王曰：“六守者何也？”

太公曰：“一曰仁，二曰义，三曰忠，四曰信，五曰勇，六曰谋，是谓六守。”

【注释】

①主：掌管，统治。

【译文】

文王问太公说：“君主统治国家、主宰人民，有的君主却失掉国家和人民，这是为什么呢？”

太公说：“是因为他没有慎重地选择授予权力的臣子。君主必须有‘六守’和‘三宝’。”

文王说：“什么是‘六守’？”

太公说：“一是仁，二是义，三是忠，四是信，五是勇，六是谋，这就是六种应当信守的品德。”

【原文】

文王曰：“慎择六守者何？”

太公曰：“富之而观其无犯①；贵之而观其无骄；付之而观其无转②；使之而观其无隐；危之而观其无恐；事之而观其无穷。富之而不犯者，仁也；贵之而不骄者，义也；付之而不转者，忠也；使之而不隐者，信也；危之而不恐者，勇也；事之而不穷者，谋也。人君无以三宝借人，借人则君失其威。”

【注释】

①犯：越过本分。

②转：一说为专断，一说为改变心意。

【译文】

文王说：“怎样能慎重选择具有‘六守’的臣子呢？”

太公说：“让他富贵看他是否失去本分，让他地位显贵看他是否骄傲自大，交给他权力看他是否仗势专断，让他出使看他是否有所隐瞒，让他身处危险看他是否临危不乱，让他处理烦琐事务看他是否办法无穷。让他富贵他却没有超过本分，就是仁；让他地位显贵他却没有骄傲放纵，就是义；交给他权力他却没有独断专行，就是忠；让他出使他却没有隐瞒，就是信；让他身处危险他却没有慌乱，就是勇；让他处理烦琐之事他却有无穷计谋，就是谋。君主不能将'三宝'借给他人，否则就会失去威严。"

【原文】

文王曰："敢问三宝。"

太公曰："大农、大工、大商①，谓之三宝。农一其乡，则谷足；工一其乡，则器足；商一其乡，则货足。三宝各安其处，民乃不虑。无乱其乡，无乱其族。臣无富于君，都无大于国②。六守长，则君昌。三宝全，则国安。"

【注释】

①大农、大工、大商：加"大"字以表示强调，指农业、手工业和商业。

②都：较大的城邑。国：国都。

【译文】

文王说："请问什么是'三宝'？"

太公说："农业、手工业、商业，就是三宝。农民集中在乡里，粮食就会丰足；工匠集中在乡里，器具就会充足；商人聚集在乡里，货物就会充足。三宝各安其所，百姓就不会心生焦虑。不要扰乱他们的乡里，也不要破坏他们的家族。不要让臣子比君主富裕，不要让城邑的规模大于国都，‘六守’受到重用，国家就能繁荣昌盛，‘三宝’能够齐全完备，国家就能安定。”

守土

本篇论述如何保卫国家，策略在于用仁义之道调和好远近四方的关系，仁政的基础在于富国，并且要牢牢将国家重权握在手中。

【原文】

文王问太公曰：“守土奈何？”

太公曰：“无疏其亲，无怠其众，抚其左右，御其四旁。无借人国柄；借人国柄[①]，则失其权。无掘壑而附丘，无舍本而治末。日中必彗[②]，操刀必割，执斧必伐。日中不彗，是谓失时；操刀不割，失利之期；执斧不伐，贼人将来。涓涓不塞，将为江河！荧荧不救，炎炎奈何[③]！两叶不去，将用斧柯。是故，人君必从事于富。不富无以为仁，不施无以合亲。疏其亲则害，失其众则败。无借人利器[④]；借人利器，则为人所害而不终其世也。”

【注释】

①国柄：喻指国家权力。

②彗：指暴晒。

③荧荧：微弱的样子，指小火。炎炎：焚烧的样子，指烈火。

④利器：锋利的武器，这里指国家大权。

【译文】

文王问太公说：“怎样才能守卫国土？”

太公答：“不要疏远宗亲，不要怠慢百姓；安抚好左右近邻，控制四方远邻。不要将治国大权委托给别人；将治国大权拱手让给别人，君主就会失去自己的权威。不要挖深沟的土壤填补土丘的高度，不要舍本逐末。太阳到了中午一定会暴晒，手持斧头就一定要尽快斩断。太阳到了正午却不暴晒，这就叫作失去天时；手拿快刀却不割取，这就叫作错失良机；手握斧头却不砍伐，就会遭到贼人的攻击。涓涓细流不加阻塞，就会汇聚成江河；微弱的火苗若不及时扑灭，变成熊熊大火就会无可奈何；嫩苗刚刚发芽却不除掉，将来就得要用斧头砍伐了。所以君主一定要遵从富国之道，国不富裕就无法施行仁政，无法施行仁政就不能让宗亲和睦。疏远宗亲就会带来祸害，失掉亲近的臣子就会衰败。不要将国家大权借给别人，将大权借给别人就会被人所害，让国家大政难以长久贯彻。”

【原文】

文王曰：“何谓仁义？”

太公曰：“敬其众，合其亲。敬其众则和，合其亲则喜，是谓仁义之纪。无使人夺汝威，因其明，顺其常。顺者，任之以德；逆者，绝之以力。敬之无疑，天下和服。”

【译文】

文王说：“什么是仁义呢？”

太公说：“尊重百姓，与宗亲融洽相处。尊重百姓就会上下协调一致，与宗亲和睦就会欢欣鼓舞，这就是仁义的准则。不要让别人夺走你的权威，要依据自己的明察，顺乎情理地处理事情。顺从你的人，要给他恩惠任用他；违背你的人，要以武力灭绝他。慎重地按照这些原则行事，不要迟疑不决，天下就能顺其自然地臣服于您了。”

守国

本篇讲述应顺应天地之道治理百姓，在民心变化之际抓住时机，取得天下人的响应，积蓄力量公开进行讨伐。

【原文】

文王问太公曰：“守国奈何？”

太公曰：“斋，将语君天地之经，四时所生，仁圣之道，民机[1]之情。”

【注释】

①机：事物变化的迹象。

【译文】

文王问太公说：“如何才能守护国家呢？”

太公说：“请先行斋戒，然后我会告诉您天地间的纲常法度、四时运行的规律，仁义圣贤治国的道理，以及民心变化的情由。”

【原文】

王即斋七日，北面[1]再拜而问之。太公曰：“天生四时，地生万物。天下有民，仁圣牧之。故春道生，万物荣；夏道长，万物成；秋道敛，万物盈；冬道藏，万物寻[2]。盈则藏，藏则复起；莫知所终，莫知所始。圣人配之，以为天地经纪[3]。故天下治，仁圣藏；天下乱，仁圣昌。至道其然也。

【注释】

①北面：古代以南面为尊，尊者面向南，卑者面向北，适用于君臣、父子、师生等。

②寻：指寻求归宿。

③经纪：纲常、法度等行为准则。

【译文】

文王斋戒七天，面向北拜了两拜又问太公。

太公说："上天产生四时，大地产生万物。天下的民众都由仁人圣君来统治。所以依照四时运转的规律，春天之道是滋生，万物因此欣欣向荣；夏天之道是成长，引导万物走向成熟；秋天之道是收获，让万物富裕有余；冬天之道为储藏，让万物归于宁静。只有收获丰富才能有所储藏，有所储藏才能再次开始新的播种，周而复始，不知道起点和终点。圣人效法这一自然规律，作为治理天下的基本原则。所以天下安定，圣人不显露，天下大乱，圣人方才顺时而起。最高的道即是如此了。

【原文】

"圣人之在天地间也，其宝固大矣。因其常而视之，则民安。夫民动而为机，机动而得失争矣。故发之以其阴[1]，会之以其阳，为之先唱[2]，天下和之。极反[3]其常，莫进而争，莫退而让。守国如此，与天地同光。”

【注释】

①阴：暗地里。

②唱：同“倡”。

③反：同“返”，回归。

【译文】

“圣人在天地间，最可贵的就是要效法自然之道。因为能效法自然之道治理民众，百姓就会自然安定。百姓不安定，就会有细微的征兆出现，这种细微的征兆一旦被激化，就会出现权力得失之争。所以，在暗地里发动，在明处把握机会成事，首先起来倡导，天下人就会起来响应。事物发展到极端就会恢复正常，所以不要过分争夺，不要过分退让。以这样的方式守护国家，才能与天地日月相互辉映。”

上贤

本篇主要论述君主应尊重贤德之人，压制无才无德的人，警惕虚伪、暴乱、奢侈等不良风气，提防冒失、投机、虚伪、奸诈、谄媚、机巧之人。

【原文】

文王问太公曰：“王人者，何上何下？何取何去？何禁何止？”

太公曰：“王人者上贤，下不肖；取诚信，去诈伪；禁暴乱，止奢侈。故王人者，有六贼[1]、七害。”

【注释】

①贼：破坏，损害。

【译文】

文王问太公说：“能够统治人民的人尊崇什么、贬损什么呢？选择什么、抛弃什么呢？什么样的事要禁止、制止呢？”

太公说：“统治百姓的君主，应当尊崇贤能的人，让不贤的人居于下位；任用诚信的人，抛弃虚伪奸诈的人；严禁暴乱，制止奢华浪费。所以统治百姓的君主，要警惕‘六贼’和‘七害’。”

【原文】

文王曰：“愿闻其道。”

太公曰：“夫六贼者，一曰：臣有大作宫室池榭，游观倡乐者，伤王之德。二曰：民有不事农桑，任气游侠[1]，犯历法禁，不从吏教者，伤王之化。三曰：臣有结朋党[2]，蔽贤智，障主明者，伤王之权。四曰：士有抗志高节，以为气势，外交诸侯，不重其主者，伤王之威。五曰：臣有轻爵位，贱有司[3]，羞为上犯难者，伤功臣之劳。六曰：强宗侵夺，凌侮贫弱者，伤庶人之业。

【注释】

①任气：放任。游侠：侠客。

②朋党：以某种私利聚集在一起的人。

③有司：官吏。

【译文】

文王说：“我希望听您讲讲其中的道理。”

太公说："所谓'六贼'，第一是臣子中有大兴土木、建造宫室台榭，沉湎于声色犬马的，这些人会让君主的德政受到破坏。第二是百姓中有不事农桑，游侠放纵，违背法纪，不听从官吏管制教导的，这些人会让君主的教化受到损害。第三是臣子中有为了私利结党，阻拦明智之士，让君主无法了解实情的，这样的人会让君主的权力受到威胁。第四是士人中有自以为气节高尚、志向高远，对外结交诸侯，不尊重君主的，这样的人会让君主的威严受到损害。第五是臣子中有轻视爵位和官吏，以为君主冒险为耻的，这些人会让功臣的功勋受到损坏。第六是有势力的宗族中仗势欺凌贫穷弱小民众的，这样的人会给百姓的生计带来灾难。

【原文】

"七害者，一曰：无智略权谋，而以重赏尊爵之故，强勇轻战，侥幸于外，王者慎勿使为将。二曰：有名无实，出入异言，掩善扬恶，进退为巧，王者慎勿与谋。三曰：朴其身躬，恶其衣服，语无为以求名，言无欲以求利，此伪人也，王者慎勿近。四曰：奇其冠带，伟其衣服，博闻辩辞，虚论高议，以为容美，穷居静处，而诽时俗，此奸人也，王者慎勿宠。五曰：谗佞[①]苟得，以求官爵，果敢轻死，以贪禄秩[②]，不图大事，得利而动，以高谈虚论，说于人主，王者慎勿使。六曰：为雕文刻镂，技巧华饰，而伤农事，王者必禁之。七曰：伪方异伎[③]，巫蛊左道，不祥之言，幻惑良民，王者必止之。

【注释】

①谗佞：巧言谄媚进谗的人。

②禄秩：官吏的俸禄。

③伪方异伎：伪诈骗人的方术，方技为古代医、星、卜等技术。

【译文】

“所谓‘七害’，第一是没有智慧谋略，却为了获得重赏高官，故作英勇对外作战，妄想侥幸获胜的，君主千万不要任用他为将。第二是有虚名无实际本领，表里心口不一，掩盖别人的优点，宣扬别人的缺点，进退取巧的，君主一定不要和他商量大事。第三是外表朴素不修边幅，嘴上说是无为，实则借此求名，嘴上说无欲，实则借此求利，这是虚伪的人，君主千万不要与他亲近。第四是衣冠奇异、身着华服，知识渊博喜欢巧辩，高谈阔论，借以美化自己，住在幽静之处却毁谤时政，这是奸诈的人，君主千万不要宠信于他。第五是巧言献媚，苟且行事，谋求官位，行事鲁莽，轻视生命，一心求利，不考虑大事，见到有利可图就心动，以美言取悦君主的，君主一定要谨慎，不要任用他。第六是致力于雕文刻镂，追求技巧华饰，妨害农桑的，君主一定要对他予以禁止。第七是以伪诈的方术，诡诈的诡计，散播不祥的言论，以此迷惑百姓的，君主一定要制止他。

【原文】

“故民不尽力，非吾民也；士不诚信，非吾士也；臣不忠谏，非吾臣也；吏不平洁爱人，非吾吏也；相不能富国强兵，调和阴阳[1]，以安万乘之主，正群臣，定名实，明赏罚，乐万民，非吾相也。

【注释】

①调和阴阳：调和万物间的各种矛盾。

【译文】

“所以如果百姓在本务上没有尽力，就不是我的百姓；士人不诚实无欺，就不是我的士人；官吏不廉洁爱民，就不是我的官吏；为相者不能富国强兵，调和好各种矛盾，稳固君主的地位，让群臣各归其位，确定名实，赏罚分明，百姓和乐，就不是我的宰相。

【原文】

“夫王者之道，如龙首，高居而远望，深视而审听；示其形，隐其情。若天之高，不可极也；若渊之深，不可测也。故可怒①而不怒，奸臣乃作；可杀而不杀，大贼②乃发；兵势不行，敌国乃强。”

文王曰：“善哉！”

【注释】

①怒：谴责。

②大贼：危害国家的人。

【译文】

“君王之道就如同龙头，居高远望，看得深远，听得审慎，显现出自己的形体，却隐去自己的实际情况。像天一样望不到边，像深渊一样难以测量深度。所以该谴责而不谴责，奸臣就会兴风作浪；该杀的而不杀，祸害国家的人就会制造事端；该讨伐而不讨伐，敌国就会日益强大。”

文王说：“您的话太有道理了！”

举贤

本篇主要论述推举人才之道，着重考察名实相称、考核人才的实际能力，量才而用，谨慎选用世俗称颂之人，不以世俗评价做取舍。

【原文】

文王问太公曰："君务[1]举贤，而不获其功，世乱愈甚，以致危亡者，何也？"

太公曰："举贤而不用，是有举贤之名，而无用贤之实也。"

【注释】

①务：从事于。

【译文】

文王问太公说："君主致力于推举贤才，却不能获得成效，社会更加混乱，导致国家面临危亡，是因为什么呢？"

太公说："选拔贤才却不加任用，这是有推崇贤才的虚名，却没有起到重用贤才的实效。"

【原文】

文王曰："其失安在？"

太公曰："其失在君。好用世俗[1]之所誉[2]，而不得真贤也。"

【注释】

①世俗：指平常凡俗的普通人。

②誉：赞美。

【译文】

文王问："那么其中的过失在什么地方呢？"

太公说："过失在于君主。君主喜欢用世俗之人所称赞的人，而没有得到真正的贤才。"

【原文】

文王曰："何如？"

太公曰："君以世俗之所誉者为贤，以世俗之所毁者为不肖；则多党者进，少党者退。若是则群邪比周[1]而蔽贤，忠臣死于无罪，奸臣以虚誉取爵位。是以世乱愈甚，则国不免于危亡。"

【注释】

①比周：结党营私。

【译文】

文王说："为什么会这样呢？"

太公说："君主把世俗之人称赞的人当作贤才，把世俗之人毁谤的人当作不贤之人；所以集结朋党多的人就得以被重用，而朋党少的人就会被降职。倘若这样，结党的奸恶之人就会遮挡贤才，忠臣无罪却冤死，奸臣以虚名取得官职。所以社会更加混乱，国家也就不免于灭亡了。"

【原文】

文王曰："举贤奈何？"

太公曰："将相分职，而各以官名举人。按名督实，选才考能，令实当其名，名当其实，则得举贤之道也。"

【译文】

文王说："那应该怎样推举贤才呢？"

太公说："让将相各安其位，依照官名推举人才。以不同的官职确定选择条件，遴选人才，考察他的能力，让官职选择条件与官职相符，让官位能够与实际能力相符，这样就获得了选用贤才的方法了。"

赏罚

本篇论述赏罚贵在分明，采用奖赏注重言而有信，惩罚贵在言出必行的原则。

【原文】

文王问太公曰："赏所以存劝[①]，罚所以示惩。吾欲赏一以劝百，罚一以惩众，为之奈何？"

太公曰："凡用赏者贵信，用罚者贵必。赏信罚必于耳目之所闻见，则所不闻见者，莫不阴化[②]矣。夫诚，畅于天地，通于神明，而况于人乎？"

【注释】

①劝：勉励。

②阴化：暗中受到影响。

【译文】

文王问太公说："奖赏是为了给人勉励，惩罚是为了让人以此获得警示。我想奖赏一个人而让大部分人得到鼓励，惩罚一个人让大部分人得到警示，该如何做呢？"

太公说："大凡奖赏贵在信守诺言，惩罚贵在言出必行。如果能在耳朵能听到的、眼睛能看到的范围内做到奖惩分明，那么在听不到、看不到的地方也会潜移默化了。真诚能够在天地间畅通无阻，可以与神明相通，更何况是人呢？"

兵道

本篇主要论述用兵的基本原则，最重要的是保持上下的一致性，在两军实力相当时声东击西，出其不意，取得胜利。

【原文】

武王[①]问太公曰："兵道何如？"

太公曰："凡兵之道，莫过乎一[②]。一者，能独往独来[③]。黄帝[④]曰：'一者，阶于道，几于神。'用之在于机，显之在于势，成之在于君。故圣王号兵为凶器，不得已而用之。今商王知存而不知亡，知乐而不知殃。夫存者非存，在于虑亡；乐者非乐，在于虑殃。今王已虑其源，岂忧其流乎？"

【注释】

①武王：即周武王姬发，文王之子。

②一：专一，一致。

③独往独来：指全军上下浑然一体的至高境界。

④黄帝：上古传说中的部落首领，姬姓，从周代开始受到尊奉。

【译文】

武王问太公说："用兵作战的原则是怎样的呢？"

太公说："大凡用兵的原则，没有比上下一致更为重要的了。上下一致，就能浑然一体、所向披靡。黄帝说：'上下一致是用兵的基础，做到这一点，几乎就能够达到如神的高度。'运用这种原则在于时机；把握这个原则，关键在掌握形势；获得成效，关键在于君主运筹帷幄。所以圣明的君主将战争看成不祥之物，只有万不得已时才使用它。如今商纣王只知道存在而不知道灭亡，只知道享乐而不考虑灾祸。存在不是永远的存在，须得时时提防是否灭亡；欢乐也不是永久的欢乐，须得时时想到灾祸。如今大王已经考虑到其中的根本所在，为什么还要担心这细枝末节的问题呢？"

【原文】

武王问曰："两军相遇，彼不可来，此不可往，各设固备，未敢先发。我欲袭之，不得其利，为之奈何？"

太公曰："外乱而内整，示饥而实饱，内精而外钝。一合一离，一聚一散。阴其谋，密其机，高其垒，伏其锐士，寂若无声，敌不知我所备。欲其西，袭其东①。"

【注释】

①欲其西，袭其东：后代兵法所说的"声东击西"即来源于此。

【译文】

武王说："两军相遇，对方不能攻进，我方不能攻去，各自建起固若金汤的守备，不敢轻率发起攻势。我想要进攻敌军，却找不到有利时机，应该怎么办呢？”

太公说：“表面散乱而内在严整，好似粮食匮乏实际物资充足，内在精明外表笨拙，布阵时分时合、时聚时散。让计谋得以隐藏，让机要得以保密，高高筑起壁垒，伏藏精锐之士，寂静得好像没有声响，让敌人不知道我方的军备情况。想要进攻西面，就先佯装攻击敌人的东面。”

【原文】

武王曰：“敌知我情，通①我谋，为之奈何？”

太公曰：“兵胜之术，密察敌人之机而速乘其利，复疾②击其不意。”

【注释】

①通：了解。

②疾：快速。

【译文】

武王说：“如果敌军通晓我方的情况，了解我方的谋略，那该怎么办呢？”

太公说：“作战获胜的方法，在于周密了解敌人的机要秘密，抓住有利时机就迅速出其不意地攻击他们。”

武 韬

发启

本篇论述夺取天下的办法，要实行德政惠民，正确判断形势把握先机，不动声色地积蓄力量，顺应时势，为天下人谋利，就能得到天下人的拥护。

【原文】

文王在丰①，召太公曰："呜呼！商王虐极，罪杀不辜，公尚②助予忧民，如何？"

太公曰："王其修德，以下贤惠民，以观天道。天道③无殃，不可先倡；人道④无灾，不可先谋。必见天殃，又见人灾，乃可以谋。必见其阳，又见其阴，乃知其心。必见其外，又见其内，乃知其意。必见其疏，又见其亲，乃知其情。

【注释】

①丰：周文王灭崇国后从岐迁都到此，今在陕西西安鄠邑区东。

②尚：表祈求语气的副词。

③天道：古人用日月星辰等天象来推测吉凶的观念，也指天地运行的规律。

④人道：人世间之事。

【译文】

文王在丰地召见太公说："唉！商纣王暴虐极了，以莫须有之罪加诸无辜之人，请太公协助我为民解忧，该怎么办呢？"

太公说："君主应当先行修养好自己的德行，礼贤下士，施惠于民，观察天道运行的吉凶。天道没有出现商纣王灭亡的迹象，就不能轻率讨伐。国家社会还没有产生祸乱，就不能事先谋划讨伐。一定要既看到上天灭商的征兆，又见到国家社会产生祸乱，才能谋划讨伐之事。一定要既看到商王公开的一面，又对他隐藏的一面了如指掌，才能知道他心中所想。一定要既看到外在形势，又知道内在动机，才能了解他的意图。一定要既看到他疏远什么人，又亲近什么人，才能了解他统治的实际情况。

【原文】

"行其道①，道可致也；从其门，门可入也；立其礼，礼可成也；争其强，强可胜也。全胜不斗，大兵无创，与鬼神通，微哉！微哉！与人同病相救，同情相成，同恶相助，同好相趋。故无甲兵而胜，无冲机②而攻，无沟堑③而守。

【注释】

①其道：《武经七书汇解》："其道，吊民伐罪之道也。"

②冲机：攻城的战车和其他器械。

③沟堑：很深的护城河。

【译文】

"只要奉行吊民伐罪之道，王道就能实现；遵循正确的谋略，就能进入胜利之门；只要确立了礼仪，制度就能有所成；与敌人征战，再强大的敌人也能够战胜。大获全胜而无须战斗，军队上下没有伤亡，就像和鬼神相通，微妙啊！微妙啊！与他人同病相怜就能互相救援，与他人意愿相同就能互相成全，与他人憎恶相同就能互相帮扶，与他人喜好相同就能一起前进。所以即便没有全副武装的士兵也能取得胜利，没有良好的武器器械也能攻城略地，没有壕沟和护城河也能保住城池。

【原文】

"大智不智，大谋不谋，大勇不勇，大利不利。利天下者，天下启之；害天下者，天下闭之。天下者，非一人之天下，乃天下之天下也。取天下者，若逐野兽，而天下皆有分肉之心；若同舟而济，济则皆同其利，败则皆同其害。然则皆有启之，无有闭之也。无取于民者，取民者也；无取于国者，取国者也；无取于天下者，取天下者也。无取民者，民利之；无取国者，国利之；无取天下者，天下利之。故道在不可见，事在不可闻，胜在不可知，微哉！微哉！鸷鸟①将击，卑飞敛翼；猛兽将搏，弭耳俯伏；圣人将动，必有愚色。

【注释】

①鸷（zhì）鸟：凶猛的鸟。

【译文】

"真正有大智慧的人不炫耀自己的智慧，真正有大谋略的人不炫耀他的谋略，真正的大勇之人不炫耀他的勇气，真正谋大利的人不贪图私利。为天下谋利的，天下人都向他敞开大门；让天下受到损害的，天下人都向他紧闭大门。天下不是一个人的天下，是天下人的天下。夺取天下，就如同追逐野兽一般，天下人都有分而食之的心思；又如同同舟共济，渡过了大家一起受益，失败了就一起受害。因而大家都会支持他，不会抛弃他。不掠夺百姓的利益，就会得到百姓的拥戴。不掠夺别国的利益，就会得到别国的拥戴；不向天下搜刮利益的人，天下就会给他利益。不掠夺百姓的利益，百姓就会给他创造利益；不掠夺别国的利益，别国也会给他利益；不掠夺天下的利益，天下也会给他利益。所以要想获得天下，谋略就在于隐秘不可张扬，实行谋略在于暗藏不可得闻，取胜在于神通难以知晓。微妙啊！微妙啊！凶猛的鸷鸟获取猎物时，都要低飞收起翅膀，凶猛的野兽将要搏击时都会伏地潜行，圣人将要行动时，都会表现出愚钝的模样。

【原文】

“今彼殷商，众口相惑，纷纷渺渺，好色无极。此亡国之征也。吾观其野，草菅[①]胜谷；吾观其众，邪曲胜直；吾观其吏，暴虐残贼。败法乱刑，上下不觉。此亡国之时也。大明[②]发而万物皆照，大义发而万物皆利，大兵发而万物皆服。大哉！圣人之德，独闻独见。乐哉！”

【注释】

①菅（jiān）：茅草。

②大明：指太阳。

【译文】

“现在那殷商，众人上下互相欺骗，朝廷混乱不已，纣王荒淫无度，这就是亡国的先兆。我观察殷商的田野中，茅草多于庄稼；我观察商朝的百姓，邪恶之徒多于正直之士；我观察殷商的官吏，暴虐无度，滥施刑罚，君臣上下却浑然不知，这就是亡国的时候了。太阳初生，恩泽世间万物，大义兴盛能让天下受益，大军发动时，万物都会顺从。伟大啊！圣人的德行，能够拥有独到的眼光，其中蕴含着无穷的欢乐。”

文启

本篇论述要想让国家长治久安，就应当像天一样自然无为，顺应民心民意，民众才能富足安康。

【原文】

文王问太公曰：“圣人何守？”

太公曰：“何忧何啬[①]，万物皆得；何啬何忧，万物皆遒[②]。政之所施，莫知其化；时之所在，莫知其移。圣人守此而万物化，何穷之有？终而复始。优之游之，展转求之。求而得之，不可不藏；既以藏之，不可不行；既以行之，勿复明[③]之。夫天地不自明，故能长生；圣人不自明，故能名彰。

【注释】

①啬：吝惜。

②遒：汇集。

③明：宣扬。

【译文】

文王问太公说："圣人治理国家要恪守什么样的原则呢？"

太公说："何必担忧，何必吝惜，万物都会生长；何必吝惜，何必担忧，万物都能积聚恩德。政令施行的时候，要让百姓感觉不到它引起的变化；就如同四时的存续，没有人能感觉到它的推移变化。圣人恪守这一点原则，万物自然生长，哪里还有穷尽的时候呢？万物必然周而复始地循环。以安闲悠游的心态，反复探求其中的大道。获得了大道，就要将它牢牢记在心中；既然牢记在心，就要考虑身体力行；既然考虑身体力行，就不必再张扬生事。天地运行从来都不刻意表现自我，所以才能生长万物；圣人从不表明自己，所以才能声名远扬。

【原文】

"古之圣人，聚人而为家，聚家而为国，聚国而为天下。分封贤人，以为万国，命之曰大纪①。陈其政教，顺其民俗，群曲化直，变于形容②。万国不通，各乐其所，人爱其上，命之曰大定。呜呼！圣人务静之，贤人务正之；愚人不能正，故与人争。上劳则刑繁，刑繁则民忧，民忧则流亡。上下不安其生，累世不休，命之曰大失。

【注释】

①纪：法度，原则。

②形容：形体容貌。

【译文】

"古代的圣人，将人们聚集在一起形成家庭，将家庭聚集在一起形成国家，将国家聚集在一起形成天下。对贤德之人分封为上万个小国，这样就是最高的法度。宣扬政令教化，顺应各地的民俗，将不正之人教化成正直之人，变化就体现在百姓的容貌体态上。各个小国互不往来，各安其所，人人都拥护自己的君主，这就是最为安定的局势。唉！圣人致力于清静无为，贤人致力于公正待人，愚人不能做到公正，就会和百姓争利。君主在政事上过于劳神就会让刑罚增多，刑罚变多就会让百姓担忧，百姓担忧就会逃亡流浪，君臣上下都不得安生，世代无法休养生息，这就是大失的局势了。

【原文】

“天下之人如流水，障之则止，启之则行，静之则清。呜呼！神哉！圣人见其所始，则知其所终。”

文王曰：“静之奈何？”

太公曰：“天有常形[①]，民有常生[②]。与天下共其生，而天下静矣。太上因之，其次化之。夫民化而从政，是以天无为而成事，民无与而自富。此圣人之德也。”

文王曰：“公言乃协予怀，夙夜念之不忘，以用为常。”

【注释】

①常形：自然运行的规律。

②常生：固定的生活规律。

【译文】

“天下百姓就如同流水一样，阻塞它就会不再流动，疏导它就会畅行不止，让它安静就会保持清澈。哎呀，神奇啊！圣人看到事物的开始，就能推导它的结局了。”

文王说：“怎么才能让天下保持安静平和呢？”

太公说：“天有恒定不变的规律，百姓也有不变的生活规律。同天下人共同安定发展，天下就会安静平和。最好的方法就是顺应自然规律，次要的就是让人民接受教化、听从政令。百姓听从教化就会顺从政令，所以天无为而治就能让万物自然生长，百姓没有负担就能自然富裕，这就是圣人的德政。”

文王说：“您的话正合我的心意，我要日夜牢记在心，把它当作治理国家的不变准则。”

文伐

本篇讲述不战而屈人之兵的十二种办法，包括腐蚀迷惑敌国君主、拉拢敌国大臣、扶植敌国反叛势力等方法，使敌国不攻自破。

【原文】

文王问太公曰：“文伐[①]之法奈何？”

太公曰：“凡文伐有十二节：

“一曰：因其所喜，以顺其志。彼将生骄，必有奸事。苟能因之，必能去之。

“二曰：亲其所爱，以分其威。一人两心，其中[②]必衰。廷无忠臣，社稷必危。

“三曰：阴赂左右，得情甚深。身内情外，国将生害。

“四曰：辅其淫乐，以广③其志，厚赂珠玉，娱以美人；卑辞委听，顺命而合。彼将不争，奸节乃定。

“五曰：严其忠臣，而薄其赂，稽留其使，勿听其事。亟为置代④，遗以诚事，亲而信之，其君将复合之。苟能严之，国乃可谋。

【注释】

①文伐：以非军事手段克敌制胜。

②中：通“忠”，忠信。

③广：通“旷”，荒废。

④置代：替换。

【译文】

文王问太公说：“如何以非军事的方法克敌制胜呢？”

太公说：“用非军事方法打击敌人的方法有十二种：

“一是：依据敌国君主的喜好，顺从他的心意。如此他就会滋生骄傲，他就一定会因自大做出不公正之事。若能继续这样，就能将对方除掉。

“二是：拉拢敌国君主的宠臣，让君主的权威得以弱化。一个人有了二心，忠心就会被削弱。朝廷中没有忠臣，国家就一定会陷入危亡之中。

“三是：暗地里贿赂敌国君主身边的近臣，与他们建立起深厚的感情，让他们身在国内心却在国外，这样国家就容易遭受灾难。

“四是：助长敌国君主享乐无度的风气，让他的志向荒废，献上珠宝美人供他享乐，言辞谦卑，曲意逢迎。他将不会有争雄称霸之心，由此奸邪就会产生。

“五是：隐藏敌国忠臣的功德，只给他送微薄的礼物。若他出使我国，就将他羁留，不让他复命，直到敌国君主更换使者时，就告诉他一些真实情报，让他感到亲近，产生信任，他的君主也会重新任用他。如果能隐藏忠臣的功绩，让敌国君主疏远他，谋求敌国就指日可待了。

【原文】

“六曰：收其内，间其外，才臣外相[①]，敌国内侵，国鲜不亡。

“七曰：欲锢其心，必厚赂之。收其左右忠爱，阴示以利，令之轻业，而蓄积空虚。

“八曰：赂以重宝，因与之谋，谋而利之。利之必信，是谓重亲[②]。重亲之积，必为我用。有国而外，其地大败。

“九曰：尊之以名，无难其身，示以大势，从之必信。致其大尊，先为之荣，微饰圣人，国乃大偷。

“十曰：下之必信，以得其情。承意应事，如与同生。既以得之，乃微收之。时及将至，若天丧之。

“十一曰：塞之以道。人臣无不重贵与富，恶死与咎。阴示大尊，而微输重宝，收其豪杰。内积甚厚，而外为乏。阴纳智士，使图其计；纳勇士，使高其气。富贵甚足，而常有繁滋。徒党已具，是谓塞之。有国而塞，安能有国？

“十二曰：养其乱臣以迷之，进美女淫声以惑之，遗良犬马以劳之，时与大势以诱之，上察而与天下图之。

“十二节备，乃成武事。所谓上察天，下察地，征已见，乃伐之。”

【注释】

①相：辅佐，帮助。

②重亲：更加亲近友善。

【译文】

“六是：收买敌国内部的大臣，离间敌国君主与统兵在外的臣子之间的关系。有才干的臣子帮助外国，敌国内部奸诈并起，这样国家很少有不灭亡的。

“七是：想要笼络敌国君主的心，就要多送给他贵重的礼物，收买他身边的近臣宠臣，暗地里以利益诱惑他们，让他们怂恿君主不重视生产大业，让国家物资匮乏、国库空虚。

“八是：献给敌国君主贵重的宝物，与他结盟共同对付外国，要让他知道对自己有利。他获得好处必然会更加信任你，这叫作加强友善。友善不断积累，一定会形成对我方有利的局势。自己拥有国家却被外国利用，他的土地就一定会大量沦丧。

“九是：以名号尊崇敌国君主，不让他为难，让他感觉自己坐拥天下，顺从他以博得信任。让他处于至高的地位，先为他歌功颂德，再赞美他德比圣人，这样他必会因为自大而失去国家。

“十是：让敌国对我方处于劣势深信不疑，获得他的信任。按照他的心意为他办事，就像兄弟般亲密。等到完全得到他的信任，就逐渐控制他。时机一旦来到就起而攻之，如同上天灭亡他一般自然。

“十一是：以各种办法阻塞敌国君主的耳目；凡是

臣子没有不喜欢富贵、厌恶死亡灾祸的。暗地里许诺给他们尊贵的官位，私下赠送给他们大量财物，收买敌国豪杰。自己国内积蓄丰足，表面却装作匮乏。暗中收买敌国的谋士为己所用，暗中结交敌国勇士以振军威。富贵饱足，便会不断蔓延滋长。对方的豪杰谋士皆为我方所用，这就叫作阻塞敌国君主的耳目。敌国君主虽然还拥有国家，但耳目已经被阻塞，怎能算拥有呢？

“十二是：培养敌国可以干扰国政的臣子，奉献美女，演奏淫靡的音乐让他目眩神迷，进献良犬好马，让敌国君主沉迷于田猎，身心俱疲，经常奉承他位高权重，让他更加膨胀。如此就可以等待天时，与天下人共同消灭他。

“这十二种文伐的方法都完备了，才能采取军事行动。这就是所谓的上察天时，下观地利，有利的征兆已经全部显现，就能发兵征讨敌国了。”

顺启

本篇再次强调“天下非一人之天下”的道理，强调君主应该具备宽容、诚信、仁爱、恩德、权力、决断这六方面素质，才能治理天下。

【原文】

文王问太公曰：“何如而可为天下？”

太公曰：“大[①]盖天下，然后能容天下；信盖天下，然后能约天下；仁盖天下，然后能怀天下；恩盖天下，然后能保天下；权盖天下，然后能不失天下；事而不疑，则天运不能移，时变不能迁。此六者备，然后可以为天下政。

“故利天下者，天下启之；害天下者，天下闭之。生天下者，天下德之；杀天下者，天下贼之。彻②天下者，天下通之；穷天下者，天下仇之。安天下者，天下恃之；危天下者，天下灾之。天下者，非一人之天下，唯有道者处之。”

【注释】

①大：此处指心胸广阔。

②彻：贯通。

【译文】

文王问太公说：“怎样才能治理好天下呢？”

太公说：“气度能够覆盖天下，然后才能包容天下；信誉覆盖天下，然后才能制约天下；仁爱能够覆盖天下，然后才能安抚天下；恩惠能够覆盖天下，然后才能保护天下；权力能够覆盖天下，然后才能不失去天下；做事果断不犹豫，即使天时变化也不能改变他，时世变化也不能改变他。这六项都拥有了，才能治理好天下。

“所以为天下谋利的，天下人都会欢迎帮助他；让天下人遭受祸害的，天下人都会抛弃拒绝他；让天下人生长滋润的，天下人都会感激他；让天下人遭受破坏的，天下人都会讨厌他。让天下人达成心愿的，天下人都会助他一臂之力；让天下人穷困潦倒的，天下人都会仇视他。让天下人安定的，天下人都会视他为依靠；让天下人遭遇危险的，天下人都会避他如同灾难。天下，不是一个人的天下，只有有道之人才能将它治理好。”

三疑

本篇讲述如何克敌制胜，如何离间敌国君主的亲信，让敌国民心背离。

【原文】

武王问太公曰：“予欲立功，有三疑：恐力不能攻强、离亲、散众。为之奈何？”

太公曰：“因之，慎谋，用财。夫攻强，必养之使强，益之使张。太强必折，太张必缺。攻强以强，离亲以亲，散众以众。

“凡谋之道，周密为宝。设之以事，玩[①]之以利，争心必起。欲离其亲，因其所爱，与其宠人，与之所欲，示之所利，因以疏之，无使得志。彼贪利甚喜，遗疑乃止。

【注释】

①玩：诱惑。

【译文】

武王问太公说：“我想要建功立业，有三点疑虑：担忧自己的力量不能攻克强敌，不能离间敌国君臣，不能使敌国民众离散。该怎么办呢？”

太公说：“顺应事态发展，谨慎采用计谋，不吝惜花费财物。攻克强敌，就一定要滋养他的骄傲自大，不断增长他的气焰让他更加嚣张。事物过分刚强就一定会受挫，过于膨胀就一定会出现缺口。要想攻克强国，就要用助长其气焰的办法；要想离间敌国君臣之间的关系，就要离间他的亲信；要想让敌国民众离散，就要赢得其民心。

“但凡谋略的方法，最宝贵的是周密精准。安排一些事件诱导敌国的行动，并以物质利益作为诱饵诱惑敌国群臣，敌国内部就一定会出现混乱。想要离间敌国的君臣关系，就要顺着敌国所宠信的人，与受宠信的人结交，给他们想要的东西，向他们展示更多的好处，借而让他们疏远自己的君主，让敌国君主无法实现自己的志向。那些贪求利益的人会非常高兴，对我方的疑虑也就停止了。

【原文】

“凡攻之道，必先塞其明，而后攻其强，毁其大，除民之害。淫之以色，啖[1]之以利，养之以味，娱之以乐。既离其亲，必使远民，勿使知谋。扶[2]而纳之，莫觉其意，然后可成。

“惠施于民，必无忧财。民如牛马，数馁[3]食之，从而爱之。

“心以启智，智以启财，财以启众，众以启贤。贤之有启，以王天下。”

【注释】

①啖（dàn）：吃，这里指引诱。

②扶：诱导。

③馁（něi）：喂养。

【译文】

“但凡攻克强敌，一定要先堵住敌人的耳目，然后攻击它最强的队伍，毁坏最大的机构，去除民众的心头之患。要用美色让敌国君主荒淫无道，用厚利诱惑他们，用美味供给他们，用音乐让他们安于享乐。已经离间了君臣，还一定要让君主远离民众，不让敌国发现我们的谋略，引诱他们一点点进入圈套，让他们都无法察觉我们的意图，这样成功就指日可待了。

“将恩惠施给民众，不要吝啬财物；民众就如同牛马，要经常喂养它们，它们就会顺从喂养它们的人。

“心可以启发智慧，智慧可以启发财富，财富可以启发民众，民众可以启发贤德之才，贤士努力为国家出谋划策，就可以协助君主称霸天下了。”

龙韬

王翼

本篇主要讲述军队统帅部的人员构成，股肱羽翼七十二人，包括心腹、谋士、天文、地利、兵法、通粮、奋威、伏旗鼓、股肱、通材、权士、耳目、爪牙、羽翼、游士、术士、方士等人才组成。

【原文】

武王问太公曰："王者帅师，必有股肱羽翼，以成威神，为之奈何？"

太公曰："凡举兵帅师，以将为命[①]。命在通达，不守一术。因能受职，各取所长，随时变化，以为纲纪。故将有股肱羽翼七十二人，以应天道。备数如法，审[②]知命理，殊能异技，万事毕矣。"

【注释】

①命：指发号施令的人。

②审：慎重。

【译文】

武王问太公说："君主统领他的军队，一定要有得力的干将，才能实现神威，该怎么做呢？"

太公说："但凡举兵统率军队，应当把主将当作全军上下的号令者。号令者在于通达上下，不能只拘泥于一种办法。这就要根据人的能力授予他们职务，各自取得他们的优势之处为己所用，随着时局变动而变化，以此作为选拔人才的制度。所以主将身边应当有得力干将七十二名，以顺应天时变化。只有按照这样的办法配备人手，慎重地把握天道变化，充分发挥各自特殊才能和本领，万事就都能具备了。”

【原文】

武王曰：“请问其目？”

太公曰：“腹心一人，主潜谋应卒，揆[1]天消变，总揽计谋，保全民命。谋士五人，主图安危，虑未萌，论行能，明赏罚，授官位，决嫌疑，定可否。天文三人，主司星历，候风气，推时日，考符验，校灾异，知人心去就之机。地利三人，主三军行止形势，利害消息[2]，远近险易，水涸山阻，不失地利。兵法九人，主讲论异同，行事成败，简练[3]兵器，刺举[4]非法。通粮四人，主度饮食，蓄积，通粮道，致五谷，令三军不困乏。奋威四人，主择材力，论兵革，风驰电掣，不知所由。伏旗鼓三人，主伏旗鼓，明耳目，诡符节，谬号令，闇忽[5]往来，出入若神。股肱四人，主任重持难，修沟堑，治壁垒，以备守御。通材三人，主拾遗补过，应偶宾客，论议谈语，消患解结。权士三人，主行奇谲，设殊异，非人所识，行无穷之变。耳目七人，主往来，听言视变，览四方之事，军中之情。爪牙五人，主扬威武，激励三军，使冒难攻锐，无所疑虑。羽翼四人，主扬名誉，震远方，摇动四境，以弱敌心。游士八人，主伺奸候变，开阖[6]人情，观敌之意，以为间谍。术士二人，主为谲诈，依托鬼神，以惑众心。方士二人，主百药，以治金疮，以痊万病。法算二人，主计会三军营壁、粮食、财用出入。”

【注释】

①揆（kuí）：揣测。

②消息：形势变化。

③简练：精选训练。

④刺：刺探。举：检举。

⑤阉（yǎn）忽：突然。

⑥开阖：开关，这里指控制。

【译文】

武王说：“请问具体配备的规则是什么？”

太公说：“心腹一名，主要负责暗地谋划并应付突发事情，了解天意变化，保全百姓的生命。谋士五名，负责商讨国家安危，了解尚未显著的隐患，考量官员的品行才能，赏罚严明，给予官职，为疑惑之事做出决断，（辅助主将）决定计划是否可行。天文三名，主要观察测算星象历法、气象变化，推算吉凶时日，查验祥瑞和灾祸的预言，了解人心变化的因由。地利三名，负责考量军队行军驻扎的地形，分析利害，远近难易，河道干枯或高山阻隔，让作战不失地利。兵法九名，主要负责讨论不同意见，研究作战成败的可能，选择兵器，刺探检举非法行径。通粮四名，主要负责全军饮食，粮草储备，保证粮食运输顺利，让军队给养充足。奋威四名，负责选择勇武之士，研究作战兵器，让军队如风疾行难以预测。伏旗鼓三名，主要负责以军中旗鼓发号施令，使士兵能按照旗鼓行军、休息，让符节号令难测，故意发错号令，军队也能够进退皆宜，甚至有如神助地进入敌营。股肱四名，负责担当重任，修护城河和壁垒，以防御外敌来犯。通材三名，负责查漏补缺，应对宾客，谈判讨论，消除祸端，解决关键问题。权士三名，负责施行权术，设计奇谋神算，让常人难以识破，使用起来变化无穷。耳目七名，负责探听局势，审时度势，观察四方和军中情况。爪牙五名，负责壮大我方士气，激励军队，让全军能够迎难而上、舍生取义。羽翼四名，负责宣传我军威望，动摇周边民心，用来削弱敌国军心。游士八名，负责侦探敌情，左右敌国人心，观察敌军动态，进行间谍活动。术士两名，负责以诡诈手段，依托鬼神，迷惑敌国军心。方士两名，负责配备各种药物，治疗战争创伤，医治各种疾病。法算两名，负责统计全军营垒、粮食和吃穿用度。”

论将

本篇讲述将帅素质对国家存亡的重要性，提出将帅所需的五种素质和十种应该避免的过失。

【原文】

武王问太公曰：“论将之道奈何？”

太公曰：“将有五材十过。”

武王曰：“敢问其目？”

太公曰：“所谓五材者：勇、智、仁、信、忠也。

勇则不可犯，智则不可乱，仁则爱人，信则不欺，忠则无二心。

【译文】

武王问太公说：“评论将帅的原则有哪些呢？”

太公说：“将帅应该有五种应有的美德和应该避免十种过失。”

武王说：“请问都有哪些呢？”

太公说：“所谓五种应有的美德，是勇、智、仁、信、忠。有了勇敢就不会被轻易侵犯，有了智慧就不会被轻易迷惑，有了仁德就会爱护他人，有了诚信就不会被人欺瞒，拥有忠诚就不会对君主生出二心。

【原文】

“所谓十过者：有勇而轻死者，有急而心速[①]者，有贪而好利者，有仁而不忍人者，有智而心怯者，有信而喜信人者，有廉洁而不爱人者，有智而心缓[②]者，有刚毅而自用者，有懦而喜任人者。勇而轻死者，可暴也；急而心速者，可久也；贪而好利者，可遗[③]也；仁而不忍人者，可劳也；智而心怯者，可窘也；信而喜信人者，可诳也；廉洁而不爱人者，可侮也；智而心缓者，可袭也；刚毅而自用者，可事[④]也；懦而喜任人者，可欺也。

【注释】

①心速：思考不够周密，此处指急功近利。

②心缓：思考迟缓，犹豫不决。

③遗：这里指贿赂。

④事：被利用。

【译文】

“所谓十种过失，是有勇猛却轻于赴死，急功近利想要速战速决，贪婪好利，仁慈却当断不断，谋略过人却心中懦弱，诚信却轻信别人，廉洁却不爱护别人，聪明却贪生怕死，刚强而自以为是，懦弱而毫无主见。勇猛而轻于赴死的，容易被人激怒；急于求成的，容易被拖延的办法驯服；贪婪好利的，容易被人用财物收买；仁慈却一味姑息的，容易被困扰；聪明却胆怯的，容易让他陷于困窘之境；诚信却轻信他人的，容易被人用计谋欺骗；廉洁而没有仁爱之心的，容易受辱而失去民心；有谋略却举棋不定的，容易被突然的出击打败；刚愎自用的，容易被他人利用；懦弱毫无主见的，容易受到欺侮。

【原文】

“故兵者，国之大事，存亡之道，命在于将。将者，国之辅，先王之所重也。故置将不可不察也。故曰：兵不两胜，亦不两败。兵出逾境，期不十日，不有亡国，必有破军杀将。”

武王曰：“善哉！”

【译文】

“所以战争是国家的大事，国家存亡，命运就在将帅手中。将帅是国家的有力辅佐，也是先王最重视的。所以选用将帅一定要认真考察。所以说，两军交战没有两方都胜利的，也没有两方都失败的。军队越境出征，不能超过十天，不是攻克敌国，就是我方军队失利。”

武王说：“您说得真是太好了！”

选将

本篇讲述士人内外不相符的十五种情况，要从八个方面考察待选者的品德才干。

【原文】

武王问太公曰："王者举兵，欲简练英雄，知士之高下，为之奈何？"

太公曰："夫士外貌不与中情相应者十五：有贤而不肖者，有温良而为盗者，有貌恭敬而心慢者，有外廉谨而内无至诚者，有精精①而无情者，有湛湛②而无诚者，有好谋而不决者，有如果敢而不能者，有悾悾③而不信者，有恍恍惚惚而反忠实者，有诡激而有功效者，有外勇而内怯者，有肃肃而反易④人者，有嗃嗃而反静悫⑤者，有势虚形劣而外出无所不至、无所不遂者。天下所贱，圣人所贵。凡人莫知，非有大明，不见其际。此士之外貌不与中情相应者也。"

【注释】

①精精：精明能干的样子。

②湛湛：忠厚老实的样子。

③悾（kōng）悾：诚恳的样子。

④易：平易近人。

⑤嗃（hè）嗃：严酷的样子。静悫（què）：沉静诚挚。

【译文】

武王问太公说："君主起兵，想要选拔能干之材，怎样才能知晓他们才干的高低呢？”

太公说：“士人的外表和内心实际不符的情况有十五种：有表面贤能实际无德无才的，有表面良善而暗中多为苟且之事的，有表面恭敬实际内心傲慢自大的，有表面廉洁谨慎但实际虚伪使诈的，有表面精明实际没有才干的，有表面忠厚老实实际不诚恳的，有喜欢出谋划策却无法决断的，有看似果断实际没有作为的，有看似诚实实际没有信用的，有看起来不可捉摸却忠实可信的，有言辞激烈出奇却能建立功业的，有表面英勇实际胆小怕事的，有表面严肃正直实际轻视别人的，有看似威严可怖但实际沉静诚挚的，有外表虚弱鄙陋但外出游说却无所不成的。天下人所轻视的，圣人却能看重。但凡常人不能理解，没有敏锐的洞察力，是无法看清其中的差别的。这就是士人外表和内心情形不一致的情况。”

【原文】

武王曰：“何以知之？”

太公曰：“知之有八征：一曰问之以言，以观其辞。二曰穷之以辞，以观其变。三曰与之间谍，以观其诚。四曰明白显问，以观其德。五曰使之以财，以观其廉。六曰试之以色，以观其贞。七曰告之以难，以观其勇。八曰醉之以酒，以观其态。八征皆备，则贤、不肖别矣。”

【译文】

武王说：“怎样才能了解其中的真实情况呢？”

太公说：“想要了解其中真实情况有八种验证的办法：一是提出问题，看他能否解释清楚。二是继续追问，看他的应变能力如何。三是派人暗中考察验证，看他是否诚实无欺。四是明知故问，看他是否隐瞒，借以了解他的品德。五是给他财物，看他是否廉洁。六是用美色试验他，看他的操守。七是告诉他有大危难，看他是否勇敢。八是让他喝醉，看他酒醉后的仪态。这八种验证方法都用过之后，就会知道他是不是贤明之人了。"

立将

本篇讲述任命主将的仪式，并强调"将在外君命有所不受"的准则。

【原文】

武王问太公曰："立将之道奈何？"

太公曰："凡国有难，君避正殿①，召将而诏之曰：'社稷安危，一在将军。今某国不臣，愿将军帅师应之。'

"将既受命，乃命太史卜。斋三日，之太庙，钻灵龟，卜吉日。以授斧钺②。

【注释】

①正殿：指君主朝会百官的正中大殿。凡有灾祸，君主会改到偏殿处理政事，称为避正殿。

②钺：一种兵器，似斧而较大。授斧钺，象征授以统率全军的权力。

【译文】

武王问太公："任命主将的方法是怎样呢？"

太公说：“但凡国家面临危难，君主都要退出正殿，召见主将并告诉他：‘国家存亡，就靠将军你一人了。现在某国反叛，希望将军率领军队出兵迎战。’

“主将接受命令之后，君主就让太史占卜。国君斋戒三日，到太庙举行仪式。太史钻凿龟甲，以卜吉凶。国君授予军权。

【原文】

“君入庙门，西面而立[①]；将入庙门，北面而立。君亲操钺，持首，授将其柄，曰：‘从此上至天者，将军制之。’复操斧，持柄，授将其刃，曰：‘从此下至渊者，将军制之。见其虚则进，见其实则止。勿以三军为众而轻敌，勿以受命为重而必死，勿以身贵而贱人，勿以独见而违众，勿以辩说为必然。士未坐勿坐，士未食勿食，寒暑必同。如此，则士众必尽死力。’

【注释】

①西面而立：古代行乡饮酒礼和大射礼时以西向为尊。太庙中太祖的神主居中面东，君主拜会时即为西向。

【译文】

“君主进入太庙，面向西方站立；主将进入太庙，面朝北站立。君主亲手拿着钺的头部，将钺柄端授予主将，说：‘从现在开始，从这上到天的一切，军中大事都由将军来掌管。’再手拿斧之柄，将斧刃给主将，说：‘从现在开始，从这下到深渊的一切，一切军务都由将军来掌握。将军用兵，敌弱即进攻，敌强则停止。不要因为甲兵众多就轻视敌人，也不要因为任务重大就以死相搏，不要认为自己身份高贵就轻慢待人，也不要固守己见不听别人进谏，不要将诡辩之言当作真理。士兵没有坐下，你就不能坐下；士兵没有吃饭，你就不能吃饭；无论冷暖寒暑都要与士兵同进退。做到这样，士兵就必定不计私利地作战。’

【原文】

“将已受命，拜而报君曰：‘臣闻国不可从外治，军不可从中御[①]。二心不可以事君，疑志不可以应敌。臣既受命，专斧钺之威，臣不敢生还，愿君亦垂[②]一言之命于臣。君不许臣，臣不敢将；君许之，乃辞而行。’

“军中之事，不闻君命，皆由将出。临敌决战，无有二心。若此，则无天于上，无地于下；无敌于前，无君于后。是故，智者为之谋，勇者为之斗，气厉青云，疾若驰骛，兵不接刃，而敌降服。战胜于外，功立于内。吏迁士赏，百姓欢悦，将无咎殃。是故，风雨时节，五谷丰熟，社稷安宁。”

武王曰：“善哉！”

【注释】

①御：掌握，控制。

②垂：赐，此处指发布诏命。

【译文】

“主将已经接受任命，向君主跪拜回答道：‘臣听说国家不能从外部治理，军队在外不能由朝廷控制。将领有二心就无法辅佐君主，心志不坚定就不能迎战敌人。臣既然已经接受君命掌管军权，就不敢心存逃生的念头，只希望君主能赐给臣明确的一句话，君主若不答

应臣的请求，臣就不敢领兵出征；若君主允诺，臣当即刻启程出征。’

“军队中的一切，不听从君主号令，一切都听从主将的安排。与敌军作战，全军必须上下一心。只有这样，才能上不受天时影响，下不受地势的制约，前不受敌军控制，后不受君主限制。因此心有谋略的人才能为主将出谋划策，骁勇之士才能全力出战，士气直抵云霄，行军如雷电迅疾，两军交战尚未短兵相接，敌人已经闻风丧胆。大军在外取得战争的胜利，将士在朝廷建功立业，获得升迁士兵受赏，百姓欢心雀跃，主将也不会受到责难。因此国家才能风调雨顺、五谷丰登，江山根基才能稳固安宁。”

武王说：“您说得实在太好了！”

将威

本篇主要讲述主将树立威信的办法，应该做到罚于上，赏及下。

【原文】

武王问太公曰：“将何以为威？何以为明？何以为禁止而令行？”

太公曰：“将以诛大为威，以赏小为明，以罚审为禁止而令行。故杀一人而三军震者，杀之；赏一人而万人悦者，赏之。杀贵大，赏贵小。杀及当路[①]贵重之臣，是刑上极也；赏及牛竖[②]、马洗[③]、厩养之徒，是赏下通也。刑上极，赏下通，是将威之所行也。”

【注释】

①当路：执掌大权。

②牛竖：牧牛的僮仆。

③马洗（xiǎn）：马前卒。

【译文】

武王问太公说：“主将怎样才能树立威信呢？怎样才能英明有为呢？怎样才能做到令行禁止呢？”

太公说：“主将要以处死地位尊贵的人来树立威信，以赏赐地位卑微的人来体现英明，以赏罚谨慎公允来实现令行禁止。所以处死一个可以震动军队的，处死他；赏赐一个让众人心悦诚服的，赏赐他。处罚贵在敢于针对位高权重的，赏赐贵在可以施及地位最低的。处决地位显贵的大臣，是刑罚的最高层级；赏赐到达牧童、马洗、厩养牲畜的这些人，就是赏赐到达最底层了。刑罚可以加之于位高权重者，赏赐可以波及卑微低下者，主将的威严就能因此树立起来。”

励军

本篇主要讲述如何振奋士气，只有主将以身作则，克制私欲，与士兵同甘共苦，才能让全军上下一心。

【原文】

武王问太公曰：“吾欲令三军之众，攻城争先登，野战争先赴，闻金声[①]而怒，闻鼓声而喜，为之奈何？”

太公曰："将有三。"

【注释】

①金声：古代钟类的金属乐器，军中以之为发号施令的工具，通常"击金则退，击鼓则进"。

【译文】

武王问太公说："我想让三军之士能够在攻城之时率先攀登，在野外作战争先恐后，听到退兵号令不情愿撤退，听到进攻的鼓声会心生欢喜，怎么才能做到呢？"

太公说："主将要做到三点。"

【原文】

武王曰："敢闻其目？"

太公曰："将冬不服裘，夏不操扇，雨不张盖，名曰礼将；将不身服礼，无以知士卒之寒暑。出隘塞，犯泥涂，将必先下步①，名曰力将；将不身服力，无以知士卒之劳苦。军皆定次②，将乃就舍；炊者皆熟，将乃就食；军不举火，将亦不举，名曰止欲将；将不身服止欲，无以知士卒之饥饱。将与士卒共寒暑、劳苦、饥饱，故三军之众，闻鼓声则喜，闻金声则怒。高城深池，矢石繁下，士争先登；白刃始合，士争先赴。士非好死而乐伤也，为其将知寒暑、饥饱之审，而见劳苦之明也。"

【注释】

①下步：从车马上下来步行。

②次：临时驻扎。

【译文】

武王说："请问这三点的具体内容是什么？"

太公说："主将冬天不穿皮裘，夏天不摇扇子，雨天不以伞遮雨，这就叫作礼将；将领不带头遵守军中之礼，就不会知道士兵的冷暖。经过险要而狭窄的路段，路过泥泞的路段，主将必须先下车马徒步而行，这叫作力将；主将不亲力亲为，就不会知道士兵们的劳苦艰辛。全军安营扎寨之后，主将才能休息；士兵的饭菜都熟了，主将才能进餐；全军未点火，主将也不能点火，这就叫作止欲将；主将不亲自抑止欲望膨胀，就不能了解士兵们的饥饱。主将和士兵们共同经受冷暖、辛苦和饥饱，全军才能听到进攻的号令就欢欣鼓舞，听到撤退的号令就心生愤恨。即便敌人居高临下，即便箭如雨下、石块纷落，士兵们也会抢先攀登；即便兵刃相见，士兵也会争着迎战。士兵并非喜欢死亡，愿意受伤，只是因为主将能够了解他们的冷暖饥饱，体谅他们的劳苦艰辛啊！"

阴符

本篇主要讲述主将和君主互通情报的符节用法。

【原文】

武王问太公曰："引兵深入诸侯之地，三军卒[①]有缓急，或利或害。吾将以近通远，从中应外，以给三军之用，为之奈何？"

太公曰："主与将，有阴符[②]。凡八等：有大胜克敌之符，长一尺；破军擒将之符，长九寸；降城得邑之符，长八寸；却敌报远之符，长七寸；誓众坚守之符，长六寸；请粮益兵之符，长五寸；败军亡将之符，长四寸；失利亡士之符，长三寸。诸奉使行符，稽留，若符事闻，泄者告者皆诛之。八符者，主将秘闻，所以阴通，言语不泄、中外相知之术。敌虽圣智，莫之能识。”

武王曰：“善哉。”

【注释】

①卒：同“猝”，突然，出乎意料。

②阴符：古代秘密通信的工具，多以铜版或竹木版制成，刻有花纹，一分为二。

【译文】

武王问太公说：“率领军队深入敌国之境作战，全军上下突然遇敌，形势可能利于我方，也可能不利于我方。我想要让近处的军队能够和远处的军队相通，里外相互接应，保持联络，以供给军队所需，该怎样做呢？”

太公说：“君主和将领之间，有秘密的符节，共分八种：有大败敌军取得全胜的符节，长一尺；有破敌擒将的符节，长九寸；有攻陷城邑的符节，长八寸；有击退敌军的符节，长七寸；有鼓励将士坚守的符节，长六寸；有请求粮草和救兵支援的符节，长五寸；有表示军队伤亡、主将阵亡的符节，长四寸；有表示全军覆没、伤亡惨重的符节，长三寸。那些受命手持符节的使者，一旦延误时间或者泄露情报就要处以死刑。若是泄露了符节中的军情，无论当事人还是送信人都要处以死刑。

这八种符节，主将必须知晓，暗中通信，不外泄给他人，是君主和将帅互相通报的最好办法。即便敌方再足智多谋，也不会理解其中的奥秘。”

武王说：“您说得实在太好了！”

阴书

本篇讲述君主和主将秘密通信的另一种方法，适合事务繁多的情形。

【原文】

武王问太公曰：“引兵深入诸侯之地，主将欲合兵①，行无穷之变，图不测之利。其事繁多，符不能明，相去辽远，言语不通。为之奈何？”

太公曰：“诸有阴事大虑，当用书，不用符。主以书遗将，将以书问主。书皆一合而再离，三发而一知。再离者，分书为三部；三发而一知者，言三人，人操一分，相参而不相知情也。此谓阴书。敌虽圣智，莫之能识。”

武王曰：“善哉！”

【注释】

①合兵：集结兵力。

【译文】

武王问太公说：“率兵深入敌国国境，主将想要让军队内外相应，行变化无穷的战术，谋求难被预测的胜利。需要沟通的事务繁多，符节不能说明，距离很远，又无法用言语沟通，该怎么办呢？”

太公说：“凡是秘密的计谋和大的决策，应当用阴书，不用阴符。君主将阴书送给主将，主将通过阴书向君主请示。这种书都要‘一合而再离，三发而一知’。所谓再离，就是将书信截开，分成三部分；“三发而一知”就是分给三个人，每人各拿一部分，虽然都参与了这件事但都不了解阴书的全貌，只有合三为一才能知晓实情。这就是阴书，敌方再明智也不能了解其中的奥秘。”

武王说：“您说得太好了！”

军势

本篇主要讲行军作战的原则，要在知己知彼的基础上，抓住有利时机，一举出击，才能获得胜利。

【原文】

武王问太公曰：“攻伐之道奈何？”

太公曰：“势因敌家之动，变生于两陈之间，奇正[①]发于无穷之源。故至事不语，用兵不言。且事之至者，其言不足听也；兵之用者，其状不足见也。倏[②]而往，忽而来，能独专而不制者，兵也。

【注释】

①奇正：出奇制胜和常规的用兵之法。

②倏：忽然，迅速。

【译文】

武王问太公说："攻伐敌国的战术是怎样呢？"

太公说："攻伐的战术要根据敌人的变化而变化，战术变化产生于两军对阵之间，出奇制胜和正规作战的变化产生于无穷的智慧，所以最重要的事情不能对人讲，用兵的情况也不能对别人说。何况最重要的事情，对别人说也未必能说清楚；用兵时捉摸不定，没有固定模式让人明白。忽往忽来，扑朔迷离，能够独断专行两不受别人牵制的，这就是用兵的原则。

【原文】

"夫兵，闻则议，见则图，知则困，辨则危。故善战者，不待张军①；善除患者，理于未生；善胜敌者，胜于无形。上战无与战，故争胜于白刃之前者，非良将也；设备于已失之后者，非上圣也。智与众同，非国师②也；技与众同，非国工也。

【注释】

①张军：摆开阵势等待敌人。

②国师：君主的老师。

【译文】

"我方出兵，敌军听到消息就会商量对策；我军暴露出弱点，敌军就会乘虚而入；我军的部署被敌方知晓，就会让我们陷入困境；我军的动向被敌军发现，就会处于危难之中。所以善于作战的人，不等敌人摆出阵势，就已经歼灭敌军了；善于解除战场灾祸的，尚未萌芽时就已经有了防备；最厉害的是不与敌军交战就大获全胜，所以在战场的锋刃上获胜的，算不上好的将领；

设置防御敌人的军备已经被攻破，再想方设法弥补的，不算是上圣之人；聪明才智和众人相同的，不能算是国君的老师；技巧和别人一样的，不能算是能工巧匠。

【原文】

“事莫大于必克，用莫大于玄默[①]，动莫神于不意，谋莫善于不识。夫先胜者，先见弱于敌而后战者也，故事半而功倍焉。

“圣人征于天地之动，孰知其纪？循阴阳之道而从其候，当天地盈缩[②]，因以为常。物有生死，因天地之形。故曰：未见形而战，虽众必败。

“善战者，居之不挠，见胜则起，不胜则止。故曰：无恐惧，无犹豫。用兵之害，犹豫最大；三军之灾，莫过狐疑。善战者，见利不失，遇时不疑。失利后时，反受其殃。故智者，从之而不释；巧者，一决而不犹豫。是以疾雷不及掩耳，迅电不及瞑目。赴之若惊，用之若狂；当之者破，近之者亡。孰能御之？

“夫将，有所不言而守者，神也；有所不见而视者，明也。故知神明之道者，野无衡敌，对无立国。”

武王曰：“善哉！”

【注释】

①玄默：沉静而内藏玄机。

②天地盈缩：指日月盈亏、消长变化。

【译文】

“战争最重要的莫过于克敌制胜，用兵最重要的莫过于沉静而暗藏玄机，行动最重要的是出其不意攻其不备，谋略最高明的莫大于没有人能分辨虚实。获胜的关键，在于先向敌方展现虚弱衰败的假象，然后再与之作战，这样会事半功倍。

“圣人从天地变化中洞悉大道，常人如何能够明了这些呢？他们遵循阴阳五行之道，顺从季节变化；根据日月盈亏总结出普遍适用的规律。万物的生长消亡，都要因循天地的变化而变化。所以说：没有看清敌方的实际情况就作战，即使兵力充足也难以取胜。

“善于作战的将领，在军营中运筹帷幄却不被敌方干扰，发现有利的机会就进攻，没有看到有利的时机就静观其变。所以说，不要有恐惧，不要有疑虑。用兵最大的祸患，就是犹豫不决；军队最大的灾祸，莫过于狐疑不定。善于作战的人，不会错过良机，也不会在合适的时机迟疑不定。错过有利时机，反而会遭受灾难。所以智慧的人会顺应有利的时机不放过；心思敏锐的人一旦决定就不再反复。作战如同雷声骤起而来不及捂住耳朵，如同闪电划过而来不及闭上眼睛。军队行进如受惊之马，用兵之法如同狂飙猛进；阻挡的就会被攻破，临近的就会被消灭，这样谁还能抵御呢？

“所以做将帅的，一言不发而有所坚守，就到了用兵出神入化的境界；能做到在平常之中看出事物发展的大势，算得上明智。所以懂得用兵变幻莫测和明智之道的，战场之上就不会有敌人能与之抗衡，对面也不会有坚不可摧的敌国。”

武王说：“说得太好了！”

奇兵

本篇论述用兵之道，列举了二十六种作战方法，多为出奇制胜之法，且再次强调了将帅在军队的核心地位和表率作用。

【原文】

武王问太公曰：“凡用兵之道，大要何如？”

太公曰：“古之善战者，非能战于天上，非能战于地下。其成与败，皆由神势[1]：得之者昌，失之者亡。

【注释】

①神势：出神入化的形势。

【译文】

武王问太公说：“大凡用兵的方法，重要的原则有哪些呢？”

太公说：“古时候善于作战的人，本领并非大到可以上天入地。作战的成败都由出神入化的形势决定：得到兵势国家就能昌盛，失去兵势国家就会衰亡。

【原文】

“夫两陈之间：出甲陈兵，纵卒乱行者，所以为变也；深草蓊翳[1]者，所以逃遁也；谿谷险阻者，所以止车御骑也；隘塞山林者，所以以少击众也；坳泽窈冥[2]者，所以匿其形也；清明无隐者，所以战勇力也；疾如流矢，如发机者，所以破精微[3]也；诡伏设奇，远张[4]诳诱者，所以破军擒将也；四分五裂者，所以击圆破方也；因其惊骇者，所以一击十也；因其劳倦暮舍者，所以十击百也；奇伎者，所以越深水、渡江河也；强弩长兵者，所以逾水战也；长关远候，暴疾谬遁者，所以降城服邑也；鼓行喧嚣者，所以行奇谋也；大风甚雨者，所以搏前擒后也；伪称敌使者，所以绝粮道也；谬号令，与敌同服者，所以备走北也；战必以义者，所以励众胜敌也；尊爵重赏者，所以劝用命也；严刑重罚者，所以进罢怠也；一喜一怒，一与一夺，一文一武，一徐一疾者，所以调和三军，制一臣下也；处高敞者，所以警守也；保阻险者，所以为固也；山林茂秽者，所以默往来也；深沟高垒，积粮多者，所以持久也。

【注释】

①蓊翳：草木繁盛的样子。

②坳泽：低洼的沼泽地。窈冥：幽暗隐蔽。

③精微：精心的部署或计谋。

④远张：虚张声势。

【译文】

“两军列阵之间，兵甲林立，放任士兵行列混乱，是为了随时变换阵行；在茂密的草丛地段部署军队，是为了撤退之便；在溪谷险要的地段部署军队，是为了阻挡大敌入侵；在狭窄险要的山林之间部署军队，是为了以少击众；在低洼的沼泽部署军队，是为了让我方行迹难以辨寻；在开阔之地部署军队，是为了展现勇力；军队行进如飞箭迅疾，攻击如同弩机发箭，是为了迅速挫伤敌方精锐部队；巧妙设下埋伏，气焰嚣张以诱敌深入，是为了能攻破敌方，擒得敌军主将；将军队分为多支队伍，是为了应对敌方的圆阵和方阵；在敌军惊慌时发动进攻，是为了用一成兵力击垮敌方十成兵力；在敌军疲惫困窘的夜幕时分发动进攻，是为了用十成兵力击败对方百成兵力；用能工巧匠建造桥梁，是为了涉过深江大河；用强硬的弓弩和长柄兵器，是为了渡水作战；围城时在远处设立哨所观察敌情，突然佯装撤退，是为了攻下敌方城镇；行军时大肆张扬、旗鼓并作，是为了迷惑对方出奇制胜；在大风暴雨来袭时突然出击，是为了与敌军正面作战，俘虏后方部队；伪装成敌方使者潜入敌营，是为了截断敌方的粮食供给；冒用敌人号令，穿与敌方相同的兵服，是为了战败时方便逃脱；与敌军作战必须以正义之名，是为了激励百姓和士兵英勇有为；给建立功勋者授予尊贵的爵位和奖赏，是为了振奋萎靡的士气；有喜有怒，有赏有罚，有文有武，有快有慢，是为了让全军上下一心，统一部下；军队设在高阔之地，是为了守卫和警戒；守住险要地段，是为了保证军营的安全；选择茂密山林和荒草之地，是为了隐藏军队的行动；深挖沟渠、高筑防卫工事，备足粮草，是为了打持久战。

【原文】

“故曰：不知战攻之策，不可以语敌；不能分移，不可以语奇；不通治乱，不可以语变。故曰：将不仁，则三军不亲；将不勇，则三军不锐；将不智，则三军大疑；将不明，则三军大倾；将不精微，则三军失其机；将不常戒，则三军失其备；将不强力，则三军失其职。故将者，人之司命[①]。三军与之俱治，与之俱乱。得贤将者，兵强国昌；不得贤将者，兵弱国亡。”

武王曰：“善哉。”

【注释】

①司命：主管命运。

【译文】

“所以说，不知道进攻和作战的方法，就不足以和他商量进军克敌之道；不能调动派遣军队，就不能谈论出奇制胜之法；不懂得如何平定叛乱，就不能商讨应变之法。所以说，主将没有仁爱之心，那么军队上下就没有亲和力；主将没有勇力，军队就不会有锐气；主将不够足智多谋，军队就会人心混乱；主将不能公正严谨，军队就会混乱失利；主将不微察明辨，就容易失去有利时机；主将不能时时保持警惕，军队就很容易失去防备；主将不能坚强有力，军队就很容易玩忽职守。所以主将是全军生命的主宰者，军队随着主将的英明而谨严有序，随着主将的昏庸而混乱无礼。能得到贤良的将帅，国家就会兵盛民强，反之就会兵弱国危。”

武王说：“您讲得太好了！”

五音

本篇讲述以五行和五音相配合，以律管的共鸣声判断敌情。

【原文】

武王问太公曰：“律音[①]之声，可以知三军之消息，胜负之决乎？”

太公曰：“深哉！王之问也。夫律管十二，其要有五音：宫、商、角、徵、羽，此其正声也，万代不易。五行②之神，道之常也，可以知敌。金、木、水、火、土，各以其胜攻也。古者，三皇之世，虚无之情，以制刚强。无有文字，皆由五行。五行之道，天地自然。六甲之分，微妙之神。

“其法以天清净，无阴云风雨，夜半遣轻骑，往至敌人之垒，去九百步外，偏持律管当耳，大呼惊之。有声应管，其来甚微；角声应管，当以白虎；徵声应管，当以玄武；商声应管，当以朱雀；羽声应管，当以勾陈；五管声尽不应者，宫也，当以青龙。此五行之符，佐胜之征，成败之机也。”

武王曰：“善哉。”

【注释】

①律音：古代音乐中的十二律和五音。古人以长短不同的十二支竹管定出标准音，称为十二律。十二律分阴律和阳律，阳律称六律，阴律称六吕。五音指后文提及的宫、商、角、徵、羽五个音级。

②五行：古人认为构成天地的基本物质，金、木、水、火、土为五行。

【译文】

武王问太公说：“律管发出的声音，能够知晓军队胜负的结果吗？”

太公说：“大王的问题很深奥啊！律管共十二个音阶，主要的五音为：宫、商、角、徵、羽，这是基本的乐音，万世不会改变。它们与神妙的五行一样，都是世间最基本的规律，能够用来了解敌军。金、木、水、火、土，以各自的优势相互克制。古时的三皇时期，以虚无来克制刚强的情形。没有文字，全凭五行的生克变化来顺应自然的变化。五行，是天地间自然法则。六甲区分隐遁，如同神般微妙啊！

“以五音五行刺探军情的方法是：天气晴朗空气干净，无风无雨少云的时候，半夜派出轻骑到敌营，在距离敌营九百步左右时侧拿律管对着耳朵，大声呼喊，会有微弱的回声。若听到是角声，则是西方白虎；听到徵声，是北方玄武；听到商声，则是南方朱雀；听到羽声则是中央勾陈；五个律管都听不到声音，则是宫声，相当于东方青龙。这是五行征兆、获胜预示和成败的关键。”

武王说：“您说得太好了！”

【原文】

太公曰：“微妙之音，皆有外候。”

武王曰：“何以知之？”

太公曰：“敌人惊动则听之。闻枹[①]鼓之音者，角也。见火光者，徵也。闻金铁矛戟之音者，商也。闻人啸呼之音者，羽也。寂寞无闻者，宫也。此五者，声色之符也。”

【注释】

①枹（fú）：鼓槌。

【译文】

太公说：“律管中的微妙声音，都有外在的征兆。”

武王说："怎么能知道呢？"

太公说："敌人被惊动后听他们的声响，听到击鼓声就是角声，看到火光就是徵声，听到金铁矛戟声就是商声，听到人的呼啸就是羽声，什么都听不到就是宫声。这五种现象与五音是相辅相成的。"

兵征

本篇主要讲从士气、军容等方面探知敌方强弱，攻城之时要依据天象而动。

【原文】

武王问太公曰："吾欲未战先知敌人之强弱，豫见胜负之征，为之奈何？"

太公曰："胜负之征，精神先见①。明将察之，其败在人。谨候敌人出入进退，察其动静，言语妖祥，士卒所告。

"凡三军说怿②，士卒畏法，敬其将命；相喜以破敌，相陈以勇猛，相贤以威武。此强征也。三军数③惊，士卒不齐；相恐以敌强，相语以不利。耳目相属④，妖言不止，众口相惑；不畏法令，不重其将。此弱征也。

【注释】

①见（xiàn）：同"现"，显现。

②说怿（yì）：喜悦，说，同"悦"。

③数（shuò）：屡次。

④属（zhǔ）：连接。

【译文】

武王问太公说："我想在没作战之前就知道敌人的强弱，预见胜负的征兆，该如何做呢？"

太公说："凡是战争胜败的迹象，可以从精神状态有所预见，明智的将领能够提前察明，成败皆在于人。谨慎地观察敌军进退的情况，看他们的一举一动，从士兵之间的谈话中判断吉凶。

"但凡全军上下欢欣雀跃，士兵敬畏军纪，对主将命令言听计从，谈起破敌就心生欢喜，谈起勇力就慷慨激昂，这就是军队强盛的迹象。全军人心浮动，士兵心不齐，谈起敌军有担忧畏惧之色，传播消极言论，不断打听小道消息，七嘴八舌，不断传播惑乱军心的言论，谣言不止，对法令没有敬畏之心，不尊重主将，这就是衰败的征兆。

【原文】

"三军齐整，陈势已固，深沟高垒，又有大风甚雨之利；三军无故[1]，旌旗前指；金铎之声扬以清，鼙鼓[2]之声宛以鸣。此得神明之助，大胜之征也。行陈不固，旌旗乱而相绕，逆大风甚雨之利，士卒恐惧，气绝而不属；戎马惊奔，兵车折轴；金铎之声下以浊，鼙鼓之声湿如沐。此大败之征也。

"凡攻城围邑，城之气色如死灰，城可屠；城之气出而北，城可克；城之气出而西，城必降；城之气出而南，城不可拔；城之气出而东，城不可攻。城之气出而复入，城主逃北。城之气出而覆我军之上，军必病[3]；

城之气出高而无所止，用兵长久。凡攻城围邑，过旬不雷不雨，必亟去之，城必有大辅。此所以知可攻而攻，不可攻而止。”

武王曰：“善哉。”

【注释】

①故：变故。

②鼙（pí）鼓：军用的小鼓，用来发号施令。

③病：陷入困境。

【译文】

“军队上下阵势整齐，阵行无懈可击，壕沟深壁垒高，又得到大风暴雨的助力；军队整齐待发，旌旗直指前方；金铎声音洪亮，鼙鼓嘹亮，这就说明是得到神明护佑，可以大获全胜的征兆。军队列队不整，旌旗缠绕混乱，没有大风暴雨的有利条件，士兵惊慌无所适从，士气衰微颓靡；战马因受惊而狂奔，兵车车轴尽断；金铎声音浑浊，鼙鼓声音如同淋雨一般沉闷，这就是大败的征兆。

“但凡攻城略地时，城镇上空如死灰沉闷，就可以屠城；如果上空云气向北飘浮，就能攻克城镇；如果上空云气向西飘浮，城中的军民就会投降；如果上空云气向南飘浮，城镇就不能攻克；如果上空云气向东飘浮，城市就不容易被攻克；如果城镇上空的云气涌出又缩回去，这就是守城的将领将要弃城逃跑；如果城镇上空云气涌出覆盖在我军上方，我方必然失利；如果城镇上空云气奔涌上升，那么这将是一场持久战。但凡攻城略地，若是十天以上不打雷下雨，就一定要尽快撤离，因为城中必然有得力干将。如此便可知道何时可以攻克，何时应该停止的道理了。”

武王说：“您说得太好了！”

农器

本篇主要讲述太平时期如何发展农业、壮大军事力量的富国强兵之道。

【原文】

武王问太公曰：“天下安定，国家无事。战攻之具，可无修乎？守御之备，可无设乎？”

太公曰：“战攻守御之具，尽在于人事：耒耜①者，其行马蒺藜②也；马牛车舆者，其营垒蔽橹③也；锄耰④之具，其矛戟也；蓑薜簦笠⑤者，其甲胄干楯也；䦆锸⑥斧锯杵臼，其攻城器也；牛马，所以转输粮用也；鸡犬，其伺候也；妇人织纴⑦，其旌旗也；丈夫平壤，其攻城也。春钹⑧草棘，其战车骑也；夏耨⑨田畴，其战步兵也；秋刈禾薪，其粮食储备也；冬实仓廪，其坚守也。田里相伍，其约束符信也。里有吏，官有长，其将帅也。里有周垣，不得相过，其队分也。输粟收刍，其廪库也。春秋治城郭，修沟渠，其堑垒也。

“故用兵之具，尽在于人事也。善为国者，取于人事，故必使遂其六畜，辟其田野，安其处所。丈夫治田有亩数，妇人织纴有尺度，此富国强兵之道也。”

武王曰：“善哉。”

【注释】

①耒耜（lěi sì）：古代翻土的农具。

②行马蒺藜：都为古代作战防御器具，用来阻塞道路。行马是一种装有尖刀和盾牌的战车。

③蔽橹：形似盾牌的作战器具。

④耰（yōu）：一种碎土的农具。

⑤蓑薜（bì）：古代雨衣。簦（dēng）：遮雨用具，有柄。笠：斗笠。

⑥镢（jué）：大锄头。锸（chā）：锹。

⑦纴：织布帛的丝缕。

⑧钹（pō）：有双刃的割草工具。

⑨耨（nòu）：锄草。

【译文】

武王问太公说："天下太平，国家没有战争，作战攻城的器械，可以不制造吗？防御工事可以不修建吗？"

太公说："战争攻守所用的器械，都是从日常的农业活动中来的：耒耜可以当作阻碍的行马和蒺藜；马车和牛车，可以充当营垒和盾牌；锄耰可以当作作战矛戟；蓑衣和伞笠可以用作盔甲盾牌；大锄头、铁锹、斧头、锯和杵臼，都是攻城器材；牛马可以用来运送粮草；鸡犬可以用来报时和戒备；妇女织布，制作军旗；男子平整土地，就像在进行攻城训练。春天铲除杂草荆棘，就好像与敌人的车马交战一般；夏天在田中锄草，就像与步兵战斗；秋天割庄稼，就像储备军粮；冬天粮仓廪足，就如同守城一般。农民五户为一伍，就像战时以军纪军符管理指挥一样。各里设置管理的官吏，地方长官再统领这些官吏，如同军队中各级将帅。里与里之间有围墙，不能随意通过，就像军队各营帐划分严明。运送粮草就是战时的粮仓，春秋两季修城墙和壕沟，就是战时的壕沟壁垒。

“所以，用兵的器械全从农事中来。善于治国的君主，从农事中得到启发，将农事当作战争一般，所以一定要让农民养六畜，开垦田地，安居乐业，男子种田有固定的亩数，女子织布有固定的尺度，这就是富国强兵之道。”

武王说：“您说得太好了！”

虎　韬

军用

本篇讲起兵征伐时所需的武器装备和防御工事，针对规格和使用方法展开了详细介绍。

【原文】

武王问太公曰：“王者举兵，三军器用，攻守之具，科品①众寡，岂有法乎？”

太公曰：“大哉！王之问也。夫攻守之具，各有科品，此兵之大威也。”

【注释】

①科品：品类。

【译文】

武王问太公说：“君王起兵征战，军队的装备，攻守的器械，品类多少，难道有固定的标准吗？”

太公说：“大王说的可是一个大问题啊！攻守的器械各有不同，这是军队最大的威力所在。”

【原文】

武王曰：“愿闻之。”

太公曰：“凡用兵之大数，将甲士万人。法用：武冲大扶胥三十六乘①，材士②强弩矛戟为翼，一车二十四人推之，以八尺车轮，车上立旗鼓，兵法谓之震骇；

陷坚陈，败强敌。武翼大橹矛戟扶胥七十二具，材士强弩矛戟为翼，以五尺车轮，绞车、连弩自副；陷坚陈，败强敌。提翼小橹扶胥一百四十具，绞车、连弩自副，以鹿车轮；陷坚陈，败强敌。大黄参连弩大扶胥三十六乘，材士强弩矛戟为翼，飞凫、电影③自副；飞凫赤茎白羽，以铜为首；电影，青茎赤羽，以铁为首。昼则以绛缟，长六尺，广六寸，为光耀；夜则以白缟，长六尺，广六寸，为流星；陷坚陈，败步骑。大扶胥冲车三十六乘，螳螂武士共载，可以纵击横，可以败敌。辎车骑寇，一名电车，兵法谓之电击；陷坚陈，败步骑。寇夜来前。矛戟扶胥轻车一百六十乘，螳螂武士三人共载，兵法谓之霆击；陷坚陈，败步骑。

【注释】

①扶胥：战车。乘（shèng）：古代一车四马为乘。

②材士：武艺高强的勇士。

③飞凫、电影：皆为箭之名或谓旗帜名。

【译文】

武王说："希望听您说一说。"

太公说："但凡起兵作战，带领甲士上万人，应当配备武冲大扶胥三十六辆，勇士手持强弩矛戟作为护翼，每辆车配二十四人推挽，车轮高度为八尺，车上设旌旗战鼓，兵法上称为震骇，能够攻破敌阵，打败强大的敌人。武翼大橹矛戟扶胥七十二辆，勇士手持强弩矛戟作为护翼，车轮高为五尺，车上配上绞车连弩作为配合，可以攻破敌阵，打败强敌。提翼小橹扶胥一百四十辆，配有绞车连弩，车轮高度和鹿车相同，可以攻敌阵破强敌。大黄参连弩大扶胥三十六辆，手持强弩矛戟勇士在左右，带有飞凫、电影两种良箭，飞凫是红色箭杆、白色箭羽，以铜做箭头，电影是青色箭杆、红色箭羽，以铁为箭头。白天用红绢做旗，长六尺宽六寸，叫作光耀；夜晚用白绢，也是六尺长六寸宽，叫作流星，可以破敌阵击败骑兵步兵。大扶胥冲车三十六辆，车上配螳螂武士，可以用来冲击敌军横阵，克敌制胜。辎车骑寇也叫电车，兵法称为电击，可以攻破敌阵，打败夜里偷袭的步兵骑兵。矛戟扶胥轻车一百六十辆，配螳螂武士三人，兵法称为霆击，用来击破敌阵，打击敌方步兵骑兵。

【原文】

“方首铁棓维朌[①]，重十二斤，柄长五尺以上，千二百枚，一名天棓；大柯斧，刃长八寸，重八斤，柄长五尺以上，千二百枚，一名天钺；方首铁锤，重八斤，柄长五尺以上，千二百枚，一名天锤。败步骑群寇。飞钩，长八寸，钩芒长四寸，柄长六尺以上，千二百枚，以投其众。

“三军拒守，木螳螂剑刃扶胥，广二丈，百二十具，一名行马；平易地，以步兵败车骑。木蒺藜，去地二尺五寸，百二十具，败步骑，要[②]穷寇，遮走北。轴旋短冲矛戟扶胥，百二十具，黄帝所以败蚩尤氏，败步骑，要穷寇，遮走北。狭路微径，张铁蒺藜，芒高四寸，广八寸，长六尺以上，千二百具，败步骑。突瞑来前促战，白刃接，张地罗，铺两镞蒺藜，参连织女，芒间相去二寸，万二千具。旷野草中，方胸铤[③]矛，千二百具；张铤矛法，高一尺五寸；败步骑，要穷寇，遮走北。狭路、微径、地陷，铁械锁，参连百二十具；败步骑，要穷寇，遮走北。

“垒门拒守：矛戟小橹十二具，绞车、连弩自副。三军拒守：天罗虎落④锁连一部，广一丈五尺，高八尺，百二十具。虎落剑刃扶胥，广一丈五尺，高八尺，五百二十具。

“渡沟堑：飞桥一间，广一丈五尺，长二丈以上，着转关辘轳，八具，以环利通索张之。渡大水：飞江，广一丈五尺，长二丈以上，八具，以环利通索张之。天浮铁螳螂，矩内圆外，径四尺以上，环络自副，三十二具。以天浮张飞江，济大海，谓之天潢，一名天舡⑤。

“山林野居，结虎落柴营⑥：环利铁索，长二丈以上，千二百枚。环利大通索，大四寸，长四丈以上，六百枚。环利中通索，大二寸，长四丈以上，二百枚。环利小微缧⑦，长二丈以上，万二千枚。天雨，盖重车上板，结枲钼铻⑧，广四尺，长四丈以上，车一具，以铁杙⑨张之。

“伐木大斧，重八斤，柄长三尺以上，三百枚。棨䦆⑩，刃广六寸，柄长五尺以上，三百枚。铜筑固为垂，长五尺以上，三百枚。鹰爪方胸铁把，柄长七尺以上，三百枚。方胸铁叉，柄长七尺以上，三百枚。方胸两枝铁叉，柄长七尺以上，三百枚。芟草木大镰，柄长七尺以上，三百枚。大橹刀，重八斤，柄长六尺，三百枚。委环铁杙，长三尺以上，三百枚。椓⑪杙大锤，重五斤，柄长二尺以上，百二十具。

“甲士万人，强弩六千，戟楯二千，矛楯二千。修治攻具，砥砺兵器，巧手三百人。此举兵军用之大数也。”

武王曰：“允哉！”

【注释】

①棓（bàng）：通“棒”。肦（fén）：头大的样子。

②要：拦截。

③铤（chán）：短柄的小矛。

④天罗：悬于空中的网，上有钩刺。虎落：竹篱笆。

⑤舡（chuán）：船。

⑥柴（zhài）营：营寨。

⑦缧（léi）：绳索。

⑧结枲（xǐ）：结麻绳。钼铻（jǔ yǔ）：栉齿状。

⑨杙（yì）：木桩。

⑩棨钁（qǐ jué）：镢头。

⑪椓（zhuó）：敲击。

【译文】

“方形而有大头的铁棒，重约十二斤，柄长五尺以上，共计一千二百根，又称为‘天棓’；长柄斧头，斧刃长八寸，重八斤，柄长五尺以上，共计一千二百把，又名‘天钺’；方头铁锤，重八斤，柄长五尺以上，共计一千二百把，又名‘天锤’。以这样的方式击败敌方步兵和骑兵。飞钩长八寸，锋刃长四寸，柄长六尺以上，共计一千二百把，用来投入敌军之中。

“全军抵御防守，应该使用：木螳螂剑刃扶胥，宽二丈，共计一百二十部，又叫行马，在平地上可以用此击败敌人战车和骑兵。木蒺藜，设置时要高出地面二尺五寸，共计一百二十部，可以击破步兵骑兵，拦截困厄的敌军，阻止逃亡的敌军。轴旋短冲矛戟扶胥，一百二十具，黄帝以此打败蚩尤，可以打败敌人的步兵骑兵，阻拦逃兵。狭窄的小路，铺上铁蒺藜，锋芒高四寸宽八寸，长六尺以上，共计一千二百件，用它可以打败敌军步兵骑兵。夜幕时分与敌军作战，短兵交接，应布下地罗，铺开带有两个芒刺的蒺藜，与名叫‘织女’的蒺藜互相配合，芒刺之间相距两寸，共计一万两千件。在旷野之上作战，设下方胸铤矛，共计一千二百把，高出地面一尺五寸设置，用它能打败敌军的步兵骑兵，截断敌军让其兵力衰弱，防止敌军溃逃。在狭窄小路上掘出深坑，埋下铁索，交错布下一百二十件，用它能打败敌军步兵骑兵，截断敌军后路。

“在军营门前将敌军阻挡，应当使用：矛戟小橹十二件，配合绞车连弩；全军守卫军营，应当使用：天罗虎落，用锁链连结虎落，宽一丈五尺，高八尺，共计一百二十组。与此同时设下虎落剑刃扶胥，宽一丈五尺，高八尺，共计五百二十辆。

“渡过深沟天堑，应当使用：飞桥，宽一丈五尺，长两丈以上，飞桥上安装转关辘轳八具，以环利通索互相连接。渡过大江大河，应该使用：飞江，宽一丈五尺，长两丈以上，八部，以环利通索连接。天浮铁螳螂，内方外圆，直径四尺以上，用环利通索和网相互配合，共计三十二具。用天浮铁螳螂连接飞江渡河，可以通过宽阔的河面，称为天潢，也叫天船。

“在山林野外露营，编竹篱作为防御：将铁索环环相连，长二丈以上，共计一千二百条。大锁链环环相扣，粗四寸，长四丈以上，共计六百条。互相连接的中等大小的锁链，粗二寸，长四丈以上，共计二百条。相互连接的小锁链，长二丈以上，共计一万两千条。下雨时用辎车盖板，盖板周围有锯齿以方便捆系麻绳，木板宽四尺，长四丈以上，配在每辆车上，用铁桩设下。

“砍伐树木的斧头，重八斤，斧柄长三尺以上，共三百把。木柄大锄头，锄刃宽六寸，锄柄长五尺以上，共三百把。铜制牢固的大锤，锤柄长五尺以上，共三百把。鹰爪方胸铁把，柄长七尺以上，共三百把。方胸铁叉，柄长七尺以上，共三百把。方胸两枝铁叉，柄长七尺以上，共三百把。割草木的大镰刀，柄长七尺以上，共三百把。大橹刀，重八斤，柄长六尺，共三百把。带铁环的铁桩，长三尺以上，三百个。打桩用的大锤，重五斤，柄长二尺以上，共计一百二十把。

“甲士上万人，其中装备强弩的有六千人，两千人用戟和大盾牌，两千人用矛和小盾牌，另外需要修理器械、磨砺兵器的能工巧匠三百人。这就是起兵所需要的大概数目。”

武王说：“您说得实在太精彩了！”

三陈

本篇讲述如何根据天象、地形和人力进行布阵，分为天阵、地阵、人阵。

【原文】

武王问太公曰："凡用兵为天陈、地陈、人陈，奈何？"

太公曰："日月星辰斗杓[1]，一左一右，一向一背，此谓天陈。丘陵水泉，亦有前后左右之利，此谓地陈。用车用马，用文用武，此谓人陈。"

武王曰："善哉。"

【注释】

①斗杓（biāo）：北斗七星中第五、六、七星的名称。

【译文】

武王问太公说："但凡用兵就有天阵、地阵、人阵，这是怎么一回事呢？"

太公说："根据日月星辰的推移变化，北斗星的斗柄所指，判断在左边还是右边布阵，相对还是相背布阵，这就叫作'天阵'。在丘陵沼泽地带也会有前后左右的差异，利用地势地形的便利布阵，这就是'地阵'。用车还是用马，用文还是用武，这就是'人阵'。"

武王说："您说得太好了！"

疾战

本篇讲述处于不利境遇时如何快速突围，以及突围之后如何克敌制胜。

【原文】

武王问太公曰："敌人围我，断我前后，绝我粮道，为之奈何？"

太公曰："此天下之困兵也。暴[1]用之则胜，徐用之则败。如此者，为四武冲陈，以武车骁骑惊乱其军而疾击之，可以横行。"

武王曰："若已出围地，欲因以为胜，为之奈何？"

太公曰："左军疾左，右军疾右，无与敌人争道，中军迭前迭后。敌人虽众，其将可走。"

【注释】

①暴：迅速。

【译文】

武王问太公说："敌人围困我军，截断我军前后的去路，截断运输粮草的通道，该怎么办呢？"

太公说："这就是天下处于困境的军队。采用速战速决的方法就能获得成功，若是拖延时间就会失败。像这样的情况，摆出'四武冲阵'的阵法扰乱敌军，以勇猛的战车和骑兵打乱敌人的军事部署，迅速突击，就能毫无阻碍地突围了。"

武王说："假如已经突出重围，却想要趁机取胜，该怎么做呢？"

太公说："我方左翼军队迅速攻击敌方左翼部队，我方右翼军队迅速攻击敌方右翼军队，不要和敌军锱铢必较，中路的军队前后进击，敌人虽然众多，但遇到这种情形主将也得落败逃跑。"

必出

本篇讲如何在夜间突围以及利用江河沟坑列阵的突围方法。

【原文】

武王问太公曰："引兵深入诸侯之地，敌人四合而围我，断我归道，绝我粮食。敌人既众，粮食甚多，险阻又固。我欲必出，为之奈何？"

太公曰："必出之道，器械为宝，勇斗为首。审知敌人空虚之地，无人之处，可以必出。将士人持玄旗，操器械，设衔枚，夜出。勇力、飞足、冒将之士[①]，居前；平垒为军开道，材士强弩为伏兵，居后；弱卒车骑，居中。陈毕徐行，慎无惊骇。以武冲扶胥，前后拒守，武翼大橹，以备左右。敌人若惊，勇力冒将之士疾击而前。弱卒车骑，以属其后；材士强弩，隐伏而处。审候[②]敌人追我，伏兵疾击其后，多其火鼓，若从地出，若从天下。三军勇斗，莫我能御。"

【注释】

①冒将之士：敢于冒险冲锋之士。

②审候：侦察，了解。

【译文】

武王问太公说："带兵深入诸侯国国境之内，敌人从四面包围我方，切断我方后路，阻拦我军输送粮草。敌方人多势众，粮食充足，又占有险固的地理位置，我方想要突围，该怎么办？”

太公说：“冲出重围的重要原则，武器精良非常重要，全军上下英勇迎战更是第一要素。详细考察敌军的薄弱环节，没有防守的地段，就一定可以冲出重围。将士们手持黑色旗帜，拿着各种器械，口中衔枚，趁着夜色行走。勇猛善战、行走迅速的冲锋之士在前，为后部大军扫平各种障碍；勇力的强弩手埋伏在队伍后面，能力稍弱的士兵、车兵和骑兵在队伍中间。列阵后全军要谨慎慢行，不要惊动敌人。用武冲大扶胥作为前后庇护，用武翼大橹矛戟扶胥作为左右掩护。一旦敌军被惊动，勇力和冲锋的士兵就要迅速攻击，能力稍弱的士兵和车骑紧随其后，后方的勇猛士兵手持强弩埋伏起来，暗中观察敌人追击的情况。伏兵迅速攻击敌人后方，其他士兵要多用火把和战鼓，佯装人数众多，就像从地下出来，从天而降。全军如此勇猛战斗，便无人可以阻拦。”

【原文】

武王曰：“前有大水、广堑、深坑，我欲逾渡，无舟楫之备。敌人屯垒，限我军前，塞我归道，斥候[①]常戒，险塞尽守，车骑要我前，勇士击我后，为之奈何？”

太公曰：“大水、广堑、深坑，敌人所不守。或能守之，其卒必寡。若此者，以飞江转关与天潢以济吾军。勇力材士，从我所指，冲敌绝陈，皆致其死。先燔[②]吾辎重，烧吾粮食，明告吏士：勇斗则生，不勇则死。已出者，令我踵军[③]设云火远候，必依草木、丘墓、险阻。敌人车骑，必不敢远追长驱。因以火为记，先出者，令至火而止，为四武冲陈。如此，则吾三军皆精锐勇斗，莫我能止。”

武王曰：“善哉。”

【注释】

①斥候：放哨的情报兵。

②燔（fán）：焚烧。

③踵军：跟随主力部队之后的部队。

【译文】

武王说：“前方有大江大河，宽阔的河面和深沟，我方想要顺利渡过，却没有船只。敌方又屯兵筑起堡垒，阻挡我军前进和回国的道路，侦察的士兵紧盯着我们的一举一动，险要地段尽在敌军掌控中，车骑截断我军前进的道路，勇力之士在我军后面伏击，该怎么办呢？”

太公说：“遇到大江大河、宽阔河面和深沟，敌人是不会设防的，即便设防，也只会动用很少的兵力。对付这种情况，就要按主将的指示，用飞江、转关辘轳和天潢来助阵渡过三军。勇士听从主将指挥，冲敌陷阵，以死相拼。在战斗之前，主将要焚烧掉辎车，烧掉粮食，明确告知士兵，背水一战还能有幸存的可能，否则就是死路一条。若有突出重围的，就要命令随后的部队点起熊熊大火，给后方战斗的士兵以生还的希望。一定要利用好茂密草木、坟墓和艰险的地形，敌人的战车和骑兵必定不敢长驱直入地追击。接着就可以将烽火作为信号，命令全军到烽火处集合，形成四武冲阵。如此，全军都是精锐勇力之士，真正能够做到势不可当了。”

武王说：“您说得太好了！”

军略

本篇主要讲述作战前要考虑到种种可能发生的情景，配备各种器具，训练得法，才能获得胜利。

【原文】

武王问太公曰：“引兵深入诸侯之地，遇深溪、大谷、险阻之水。吾三军未得毕济，而天暴雨，流水大至。后不得属于前，无舟梁之备，又无水草之资。吾欲毕济，使三军不稽留，为之奈何？”

太公曰：“凡帅师将众：虑不先设，器械不备；教不素信①，士卒不习。若此，不可以为王者之兵也。凡三军有大事，莫不习用器械。若攻城围邑，则有轒辒②、临冲。视城中，则有云梯、飞楼。三军行止，则有武冲、大橹前后拒守。绝道遮街，则有材士强弩，冲其两旁。设营垒，则有天罗、武落，行马、蒺藜。昼则登云梯远望，立五色旌旗；夜则设云火万炬，击雷鼓，振鼙铎，吹鸣笳③。越沟堑，则有飞桥、转关辘轳、钼铻。济大水，则有天潢、飞江。逆波上流，则有浮海、绝江。三军用备，主将何忧。”

【注释】

①信：真，指符合实情。

②轒辒（fén yūn）：主要用于掩护和进攻的战车。

③笳：胡笳，一种类似笛子的乐器。

【译文】

武王问太公："带领军队进入敌国境内，遇到深溪、峡谷和险流，我方尚未完全渡过河流，天空突降大雨，山洪即将暴发。后方部队无法与前方部队相互联系，既没有船和有桥梁，也没有堵住洪流的水草之料，我军想要全部渡过，不滞留延误战机，该怎么做呢？"

太公说："但凡统兵作战，不能事先考虑周全，军事器械就无法备齐；平常不能做到训练有素，士兵就无法熟练使用兵器。这样就不能成为王者的军队。但凡军队有重大的军事行动，就必须训练士兵熟练地使用军事器械：攻下城池，就要用轒辒、临车和冲车；侦察城中敌情，就用云梯、飞楼。军队进退，就有武冲大扶胥和武翼大橹矛戟扶胥前后制敌。阻塞交通封锁街道，就有手持强弩的武士立于左右。设立营垒，就要用天罗、虎落、行马、蒺藜。白天登上云梯远眺，竖起五色旗帜。夜晚设下烟火火炬，敲鼓击铎，吹奏鸣笳。翻越深沟，就用飞桥、转关辘轳和钼铻。渡过大河就要用天潢、飞江。逆流而上，就要用浮海、绝江。军队诸种器具都完备了，主将还有什么担忧的呢？"

临境

本篇讲述两军对峙时如何布阵，以及出奇制胜的用兵扰敌之法。

【原文】

武王问太公曰："吾与敌人临境相拒，彼可以来，我可以往，陈皆坚固，莫敢先举。我欲往而袭之，彼亦可来。为之奈何？"

太公曰："兵分三处。令我前军，深沟增垒而无出，列旌旗，击鼙鼓，完为守备。令我后军，多积粮食，无使敌人知我意。发我锐士，潜袭其中，击其不意，攻其无备。敌人不知我情，则止不来矣。"

武王曰："敌人知我之情，通我之谋，动而得我事。其锐士伏于深草，要隘路，击我便处，为之奈何？"

太公曰："令我前军，日出挑战，以劳其意。令我老弱，曳柴扬尘，鼓呼而往来，或出其左，或出其右，去敌无过百步，其将必劳，其卒必骇。如此，则敌人不敢来。吾往者不止，或袭其内，或击其外，三军疾战，敌人必败。"

【译文】

武王问太公说："我军和敌军在边境线对战，敌方可以进犯，我方可以进攻，两军的阵地都牢不可破，谁也不敢先出击。我想要前去袭击，对方也可能来进犯，该怎么办呢？"

太公说："将兵力分为三部分，让前面的军队原地按兵不动，深挖壕沟增高壁垒，不要轻易出战，在阵地上列好旌旗，反复击鼓，做好充分准备。让后方军队储备好粮食，不要让敌军知晓我军意图，派出精锐之士组成队伍，出其不意地攻击。敌人不了解我方的情形，就会停止进攻了。”

武王说：“敌军如果知道我方的形势，明白我军的谋略，我军一旦有行动敌军就会发现。敌方精锐之士在草丛中埋伏，阻塞狭窄的道路，占尽天时地利进击我方军队，该怎么办呢？”

太公说：“让我方前部军队，白天出去向敌军挑衅，扰乱对方的军心；让我方老弱士兵，拖着树枝扬灰起尘，击鼓叫喊来来往往。挑衅时，时而出现在敌军左方，时而出现在敌军右方。距离敌军不过百步，对方将领一定会心思烦乱，士兵定会惊慌不已。这样敌军就不敢轻易骚扰我方了。我方不停地派兵骚扰敌军，时而偷袭其内部，时而偷袭其外部，全军迅疾作战，敌人定会被打败。”

动静

本篇主要讲述在双方势均力敌时，如何以迂回后方、设置伏兵的方式取胜。

【原文】

武王问太公曰：“引兵深入诸侯之地，与敌之军相当。两陈相望，众寡强弱相等，未敢先举。吾欲令敌人将帅恐惧，士卒心伤，行陈不固，后陈欲走，前陈数顾。鼓噪而乘之，敌人遂走。为之奈何？”

太公曰：“如此者，发我兵，去寇十里而伏其两旁，车骑百里而越其前后。多其旌旗，益其金鼓。战合，鼓噪而俱起。敌将必恐，其军惊骇。众寡不相救，贵贱不相待，敌人必败。”

【译文】

武王问太公说：“率领军队深入敌国境内，我军与敌军实力相当。双方军阵对峙，人数多少兵力强弱都相当，谁都不敢先发出攻击。我想让敌军将帅心生敬畏，士兵担忧起疑，布阵不牢固，列阵后方的士兵想要逃跑，列阵前方的士兵反复回望。这时我军趁势鸣鼓出击，让敌人失败逃跑，该怎么办呢？”

太公说：“想要这样，就要派遣我方士兵，在距离敌军十里开外的地方埋伏在道路两旁，车兵和骑兵在距离百里的地方形成前后包围。我方多设下旌旗，增加金铎和战鼓。双方交战时，鼓声连同铎声呼喊声并起，敌方的将领必定心生恐惧，敌方士兵定会大惊失色。无论敌方有多少兵力都无法互相帮助，将帅和士兵都争相逃跑，敌军必定会溃败。”

【原文】

武王曰：“敌之地势，不可以伏其两旁，车骑又无以越其前后。敌知我虑，先施其备。我士卒心伤，将帅恐惧，战则不胜，为之奈何？”

太公曰：“微哉！王之问也。如此者，先战五日，发我远候，往视其动静。审候其来，设伏而待之，必于死地，与敌相避。远我旌旗，疏我行陈。必奔其前，与敌相当。战合而走，击金无止。三里而还，伏兵乃起。或陷其两旁，或击其前后。三军疾战，敌人必走。”

武王曰：“善哉。”

【译文】

武王说："敌方的地势，我们不能埋伏在道路两侧，车骑也无法越过敌人到达后方。敌方知道我方的谋略，先行有所准备。我方士兵疑虑重重，将帅心生恐惧，战斗也无法获胜，该怎么办呢？"

太公说："微妙啊！君主的问题！类似这样的情况，应当在开战五天前就派出我军的士兵到敌方阵地观察他们的一举一动，刺探到他们的来意，然后设下埋伏等待敌军，一定要选择背水一战、没有退路的险要地形作战。将我方旌旗设在远处，布阵分散开来。一定要让前锋部队英勇杀敌，但要刚刚交战就撤退，一路鸣金收兵。后退到我军埋伏的地方突然转向攻击，伏兵也起来一同作战。有的攻击敌军两翼部队，有的攻击敌军首尾部队，全军上下振奋士气，敌人一定会被打败而逃跑的。"

武王说："您说得太好了！"

金鼓

本篇主要讲述"戒"对于军队的重要性，在防御敌军时要严密戒备，为了避免被伏击全军要分工合作，发动攻击扭转战局。

【原文】

武王问太公曰："引兵深入诸侯之地，与敌相当。而天大寒甚暑，日夜霖雨，旬日不止。沟垒悉坏，隘塞不守，斥候懈怠，士卒不戒。敌人夜来，三军无备，上下惑乱，为之奈何？”

太公曰：“凡三军，以戒为固，以怠为败。令我垒上，谁何[①]不绝；人执旌旗，外内相望，以号相命，勿令乏音，而皆外向[②]。三千人为一屯，诫而约之，各慎其处。敌人若来，视我军之警戒，至而必还，力尽气怠。发我锐士，随而击之。”

【注释】

①谁何：指相问，侦察诘问。

②外向：面向军营的外侧。

【译文】

武王问太公说：“带领军队深入敌国境内，两军实力相当，但是天气酷暑或严寒，昼夜大雨滂沱，一连十多天不停止，壕沟壁垒全部损坏，要塞也无法保全，侦察兵士懒散懈怠，士兵没有防备之心。敌人夜半来犯，全军上下没有防备，一片混乱，该怎么办呢？”

太公说：“但凡军队必须有所戒备才能攻不可破，一旦松散懈怠就会失败。让我军士兵在壁垒上侦察询问声不绝如缕，士兵手拿旌旗，内外相互呼应，不要让声音中断，士兵的方向一致对外。每三千人为一屯，互相告诫约束，在自己的位置上各自防守。如果有敌人来犯，看到我军的戒备状况，虽然已经到达也一定会撤退，等到他们兵力劳累士气低微，我军就派出精锐部队，一举击败他们。”

【原文】

武王曰：“敌人知我随之，而伏其锐士，佯北不止。过伏而还，或击我前，或击我后，或薄我垒。吾三军大恐，扰乱失次，离其处所。为之奈何？”

太公曰：“分为三队，随而追之，勿越其伏。三队俱至，或击其前后，或陷其两旁。明号审令，疾击而前。敌人必败。”

【译文】

武王说：“敌方知道我方要追击他们，早已埋伏好士兵，假装逃跑。等到了埋伏的地点就掉转方向进攻，有的攻打前方军队，有的打击我军后方，有的侵入我军营垒。我方军队上下惊慌毫无秩序，甚至逃离自己的守卫之地，该怎么办呢？”

太公说：“将全军分为三队，在追击时不要进入敌方的埋伏地区。三支人马都到齐后，共同出击，有的攻打前锋，有的攻打左右两翼，让传达的所有军令都清晰明白，迅速出击，向前冲击，敌人必定会失败。”

绝道

本篇讲述深入敌人境内时，要借用地利避免被敌人包抄，在地势不利时以战车为前锋，互相呼应，突出重围。

【原文】

武王问太公曰：“引兵深入诸侯之地，与敌相守。敌人绝我粮道，又越我前后。吾欲战则不可胜，欲守则不可久。为之奈何？”

太公曰："凡深入敌人之地，必察地之形势，务求便利。依山林险阻，水泉林木，而为之固；谨守关梁，又知城邑、丘墓地形之利。如是，则我军坚固，敌人不能绝我粮道，又不能越我前后。"

【译文】

武王问太公说："率兵深入敌国境内，我方与敌军各自对峙防守，敌人切断我方粮草的运输路径，又绕到我军后方，我方想要战斗又不能取胜，想要坚守又不能坚持，该怎么做呢？"

太公说："但凡率兵深入敌国境地，一定要仔细观察地形地势，一定要保证方便有利，依靠山林险阻，水泉树木等自然条件安营扎寨，让阵地坚不可破；小心把守关隘桥梁，还要借城邑、丘墓之便。这样我方的阵营就坚固，敌军既不能截断我方粮草运输道路，也不能对我方前后包围了。"

【原文】

武王曰："吾三军过大陵、广泽①、平易之地，吾盟误失，卒与敌人相薄。以战则不胜，以守则不固。敌人翼我两旁，越我前后，三军大恐。为之奈何？"

太公曰："凡帅师之法，常先发远候，去敌二百里，审知敌人所在。地势不利，则以武冲为垒而前，又置两踵军于后，远者百里，近者五十里。即有警急，前后相救，吾三军常完坚，必无毁伤。"

武王曰："善哉。"

【注释】

①广泽：广阔低洼的潮湿之所。

【译文】

武王说："我军穿过高山、沼泽和平原时，因为同盟军的失误，我军突然与敌军相遇。此时和敌方交战不可能获胜，守卫又不能持久，敌人到我方两侧攻击，前后包抄我军，全军上下惊恐不定，该怎么办呢？"

太公说："但凡率兵打仗的方法，应当先派出士兵到远方侦察敌情，在距敌军二百里的地方，了解敌军的确切位置。若是地势对我方不利，就用武冲大扶胥作为屏障格挡在前，再设置两支队伍紧跟其后，远的与武冲大扶胥相距百里，近的可相距五十里。一旦遇到突发状况，前方和后方的军队可以互相救助，全军就能保持坚不可摧，一定不会有什么伤亡。"

武王说："您讲得实在太好了！"

略地

本篇讲述围攻大城时如何阻止敌方援军和有效突围的方法。

【原文】

武王问太公曰："战胜深入，略其地，有大城不可下。其别军守险阻，与我相拒。我欲攻城围邑，恐其别军[①]卒至而击我。中外相合，击我表里[②]。三军大乱，上下恐骇。为之奈何？"

太公曰："凡攻城围邑，车骑必远，屯卫警

戒，阻其外内。中人绝粮，外不得输。城人恐怖，其将必降。”

【注释】

①别军：主力军队外的另一支部队。

②表里：军队的内外。

【译文】

武王问太公说：“我军和敌军作战取胜，而后深入敌国境内，占领敌国土地，但有大的城池久攻不可取。敌军的另一支军队坚守关口与我军对峙，我想要攻陷城池，又担心敌军突然攻击，以致敌军里应外合，共同出击。全军上下一片混乱，士兵惊恐至极，该怎么办呢？”

太公说：“但凡攻围城邑，一定要把车兵和骑兵安排在较远的地方，守卫高度戒备，阻止敌军内外相应取得联系。城中的军队粮草日益减少，外面的部队又无法将供给运到城内，城中的军民心生恐慌，守城的主将必然会投降。”

【原文】

武王曰：“中人绝粮，外不得输，阴为约誓，相与密谋，夜出穷寇死战，其车骑锐士，或冲我内，或击我外。士卒迷惑，三军败乱。为之奈何？”

太公曰：“如此者，当分军为三军，谨视地形而处。审知敌人别军所在，及其大城别堡，为之置遗缺之道，以利其心，谨备勿失。敌人恐惧，不入山林，即归大邑，走其别军。车骑远要其前，勿令遗脱。中人以为先出者得其径道，其练卒材士必出，其老弱独在。车骑深入长驱，敌人之军，必莫敢至。慎勿与战，绝其粮道，围而守之，必久其日。无燔人积聚，无坏人宫室，冢树社丛勿伐，降者勿杀，得而勿戮，示之以仁义，施之以厚德。令其士民曰：‘罪在一人。’如此，则天下和服。”

武王曰：“善哉。”

【译文】

武王说：“城中的粮草虽已断绝，外面援军也无法输送粮草，但若是守军和援军已经私下里约定好，想在夜晚竭尽力气与我军决一死战。敌方车兵骑兵精锐勇猛，有的攻击我方军营，有的攻击我军左右两翼和外围军队，我方士兵心生疑惑，全军军心动摇，该怎么办呢？”

太公说：“像这样的情形，应该将全军分为三部分，仔细查看地形后再安营扎寨。弄清楚敌方另一支军队的所在地和其他城邑的方位，故意留出一条不加防守的道路，诱使敌军守军出逃，我军同时保持谨慎不能有任何纰漏。敌人心生恐惧，就会逃入山林或别的城邑，投奔另一支部队。我方步兵和骑兵在远处截击逃跑的敌军，不要让一个人逃脱。城中其他的守军以为先行者已经打通道路，精练勇猛的士兵一定会随之出城，这样只有老弱病残留在城中。我方车兵骑兵可趁此长驱而入，敌人的军队就不敢再与我军作战。我方要谨慎，不要轻易与对方作战，断绝敌军粮草运输的通道，长期围困他们。攻下城池时，不要焚烧城内百姓财物、房屋、坟墓和社庙周围的树木，不要杀害投降的士兵，不杀害俘虏人员，向他们展示我方的仁义，给他们施以恩德，向敌国的士兵和百姓宣告：‘罪过只在于昏君一个人。’这样天下都能心悦诚服地归顺了。”

武王说：“您说得真是太好了！”

火战

本篇主要讲述在草丛茂密之处如何以火攻的方式应敌，扭转战争的局面。

【原文】

武王问太公曰：“引兵深入诸侯之地，遇深草蓊秽[①]，周吾军前后左右。三军行数百里，人马疲倦休止。敌人因天燥疾风之利，燔吾上风，车骑锐士坚伏吾后。吾三军恐怖，散乱而走。为之奈何？”

太公曰：“若此者，则以云梯、飞楼，远望左右，谨察前后。见火起，即燔吾前而广延之，又燔吾后。敌人若至，则引军而却，按黑地而坚处。敌人之来，犹在吾后，见火起，必还走。吾按黑地而处，强弩材士卫吾左右，又燔吾前后。若此，则敌不能害我。”

武王曰：“敌人燔吾左右，又燔吾前后，烟覆吾军，其大兵按黑地而起。为之奈何？”

太公曰：“若此者，为四武冲陈，强弩翼吾左右。其法无胜亦无负。”

【注释】

①蓊（wěng）秽：杂草丛生。

【译文】

武王问太公说："带兵深入敌国境内，遇到荒草茂盛环绕的地带，军队走了几百里，人马疲乏，休息而停止不前。敌方借着天干物燥又有大风的便利，在我军上风方向点火，火势迅速蔓延，又设置车兵骑兵和精锐之师埋伏在我军后方。全军上下军心动摇，士兵四散逃跑，该怎么办呢？"

太公说："在这样的地方，应该用云梯、飞楼居高远望，探察前后情形。见到远处有火，就立刻在我军前方点火，并让火势蔓延，将草丛烧成无所阻碍的空地。敌军若从前方进攻，我方就慢慢后退，镇守不动。敌人若从后方进攻，见到草丛起火，一定会撤退到远处。我军在被烧焦的土地上按兵不动，以强弩手护卫两翼，再将前后草丛焚烧，去除障碍。这样敌军就无法进攻我方部队了。"

武王说："敌人将我军左右的草丛焚烧，又将我军前后的草丛烧尽，浓烟滚滚覆盖了我方军队。敌军踏过烧焦的土地进犯我方，该怎么办呢？"

太公说："若是这样，就要布下四武冲阵，以强弩护卫军队两翼，用这样的办法我方虽然不一定能取胜，但也不会失败。"

垒虚

本篇讲述如何凭观察洞悉敌人营垒虚实和用兵调度情况。

【原文】

武王问太公曰："何以知敌垒之虚实，自来自去①？"

太公曰："将必上知天道，下知地理，中知人事。登高下望，以观敌之变动。望其垒，则知其虚实；望其士卒，则知其去来。"

武王曰："何以知之？"

太公曰："听其鼓无音，铎无声；望其垒上多飞鸟而不惊。上无氛气②，必知敌诈而为偶人也。敌人卒去不远，未定而复反者，彼用其士卒太疾也；太疾，则前后不相次；不相次，则行陈必乱。如此者，急出兵击之。以少击众，则必胜矣。"

【注释】

①自来自去：敌人要进攻还是撤退的情况。

②氛气：战国时人们常用云气推断吉凶。

【译文】

武王问太公说："怎样才能判断敌人营垒的虚实、士兵来去的调动情况呢？"

太公说："将帅一定要上知天道，下识地理，中可知人情世故。登高远望，观察敌人的变化。见到他们的营垒就能知道敌人的虚实。观察士兵的一举一动，就能知道敌人的调度安排。”

武王说：“怎样才能知道呢？”

太公说：“敌军的鼓没有声音，铎没有动静，营垒上方多有飞鸟却来去无惧，也没有尘土飞扬，这就可以断定是敌人使诈放了假人。敌人慌忙离开不久，尚未安定就重返，就是调动士兵太快了。调动过快就会前后失序，失序就一定会产生混乱。像这样，急速出兵，以少击众，就定能取得胜利。”

豹 韬

林战

本篇讲述如何在丛林中借势作战，使各种兵力优势互补，轮番作战，直到最后的胜利。

【原文】

武王问太公曰："引兵深入诸侯之地，遇大林，与敌分林相拒。吾欲以守则固，以战则胜。为之奈何？"

太公曰："使吾三军分为冲陈，便兵所处，弓弩为表，戟楯为里。斩除草木，极广吾道，以便战所。高置旌旗，谨敕①三军，无使敌人知吾之情，是谓林战。

"林战之法，率吾矛戟，相与为伍。林间木疏，以骑为辅，战车居前，见便则战，不见便则止。林多险阻，必置冲陈，以备前后。三军疾战，敌人虽众，其将可走。更战更息，各按其部，是为林战之纪。"

【注释】

①敕（chì）：整饬，命令。

【译文】

武王问太公说："带兵深入敌国境内，遇到茂密的丛林，与敌军各自占据一片森林对峙。我军要防守就可以坚不可摧，攻击就战无不胜，该怎么做呢？"

太公说：“将全军布成四武冲阵的队列，将士兵安排在便于作战的地方，手持弓箭强弩的士兵安排在外，手持戟和盾牌的士兵安排在内。将周边的草木砍除，拓宽前进道路，以便于我方作战。在高处竖起旌旗，谨慎告诫三军，不要让敌方知道我军的情况，这就是所谓的林战了。

“在丛林中作战，要将我方手持矛戟的士兵编成分队作为战斗主力。若是丛林中树木稀疏，就以骑兵作为助力。战车安排在前，根据形势判断是否出战。如果丛林中树多林密，多有阻碍，就一定要用四武冲阵，以防备敌军进犯前后。全军上下迅猛战斗，即便敌军众多，主将也会败走。我军安排好各分队轮流战斗休息，各自坚守在自己的位置，这就是丛林作战的原则。”

突战

本篇论述如何应对敌人突然来袭，可以先诱敌深入，再突然出击，获得胜利。

【原文】

武王问太公曰：“敌人深入长驱，侵掠我地，驱我牛马；其三军大至，薄我城下。吾士卒大恐；人民系累，为敌所虏。吾欲以守则固，以战则胜。为之奈何？”

太公曰：“如此者，谓之突兵。其牛马必不得食[①]，士卒绝粮，暴击而前。令我远邑别军，选其锐士，疾击其后。审其期日，必会于晦②。三军疾战，敌人虽众，其将可虏。”

【注释】

①食（sì）：喂养。

②晦：晚上。

【译文】

武王问太公：“敌人长驱直入我们境内，侵占掠夺我们的土地，驱驰我们的牛马牲畜；敌方大军在我方城下汇集，我方将士大为惊恐，百姓成为敌军的俘虏。我想要防卫万无一失，作战战无不胜，该怎么办呢？”

太公说：“这样的情况叫作‘突兵’。敌军从远道来，他们的牛马一定缺少草料，士兵的粮食也难以供应上，只能猛烈地向前进攻。让我们远方城邑的军队，选择精锐士兵，快速断绝他们的后路。精密地算好进攻的有利时机，一定要在天黑时会合完毕。全军上下一致迅速进攻作战，哪怕敌军人数众多，其将帅也能够被我方俘虏。”

【原文】

武王曰：“敌人分为三四，或战而侵掠我地，或止而收我牛马。其大军未尽至，而使寇薄我城下，致吾三军恐惧。为之奈何？”

太公曰：“谨候敌人，未尽至则设备而待之。去城四里而为垒，金鼓旌旗，皆列而张。别队为伏兵。令我垒上多积强弩，百步一突门，门有行马。车骑居外，勇力锐士隐伏而处。敌人若至，使我轻卒合战而佯走；令我城上立旌旗，击鼙鼓，完为守备。敌人以我为守城，必薄我城下。发吾伏兵，以冲其内，或击其外。三军疾战，或击其前，或击其后。勇者不得斗，轻者不及走，名曰突战。敌人虽众，其将必走。”

武王曰：“善哉。”

【译文】

武王说：“敌军兵分三四路，有的攻占我们的土地，有的驻扎劫掠我们的牛马，敌人主力大军没有全部到达的时候，他们一部分兵力已经到达城下。我方将士大为惊恐，该怎么办呢？”

太公说：“密切关注敌军的一举一动，在敌人主力尚未来临前，就设好防备等待他们。在离城四里的地方修建军营，金铎战鼓和旌旗都在壁垒上准备好，另派出一队伏兵。让我方军营多准备强力弓弩，每隔百步设一个突门，每个门中都有行马。战车和骑兵在外，精锐士兵隐蔽其中。敌军到来后我军轻装部队迅猛出击再佯装败逃，在城上竖起旌旗，敲起鼙鼓，做好一切防守的准备。敌军以为我方要守城，定会聚集到我方城下。此时我方派出伏兵，直接冲入对方军阵，或在阵外作战。此时命令全军统一出动，一部分攻打前锋，一部分断其后路。敌军在这种情况下纵使勇猛也无法展开战斗，轻装骑兵也来不及逃跑，这就叫作突战。敌军即使人数众多，其将领也一定会逃跑。”

武王说：“您说得太好了！”

敌强

本篇主要讲述在敌强我弱，敌军夜袭的情况下我方如何里应外合，上下一心取得胜利。

【原文】

武王问太公曰："引兵深入诸侯之地，与敌人冲军[1]相当，敌众我寡，敌强我弱。敌人夜来，或攻吾左，或攻吾右，三军震动。吾欲以战则胜，以守则固。为之奈何？"

太公曰："如此者，谓之震寇。利以出战，不可以守。选吾材士强弩，车骑为之左右，疾击其前，急攻其后；或击其表，或击其里。其卒必乱，其将必骇。"

武王曰："敌人远遮我前，急攻我后，断我锐兵，绝我材士。吾内外不得相闻，三军扰乱，皆散而走，士卒无斗志，将吏无守心。为之奈何？"

太公曰："明哉！王之问也。当明号审令，出我勇锐冒将之士，人操炬火，二人同鼓。必知敌人所在，或击其表，或击其里。微号相知[2]，令之灭火，鼓音皆止。中外相应，期约皆当。三军疾战，敌必败亡。"

武王曰："善哉。"

【注释】

①冲军：突击部队。

②微号相知：以约定的暗号取得联系。

【译文】

武王问太公说："带兵深入敌国境内，我方与敌军突围部队相遇，敌方人数多我方人数少，敌军兵强我方弱。敌军若在深夜进攻，有的攻击我方左翼，有的攻击我方右翼，全军上下恐慌不已。我想要作战就能取胜，守卫就能固守，该怎么办呢？”

太公说：“这样的情形叫作‘震寇’。我方以出战为利，不宜防守，精选勇武的士兵手持强弩，车兵骑兵护在两侧，迅速猛烈地攻打敌人前锋部队，再快速攻击敌人侧后方，有的攻击阵外，有的攻入阵内。敌人的将士必然陷入混乱，将帅必然惊慌失措。”

武王说：“敌人如果在远处阻击我方先锋部队，又快速攻击后方，阻断救援的勇武之士，让我军内外失去联系。全军混乱四散，士兵士气萎靡，将帅和守兵都没有防守的信心，该怎么办呢？”

太公说：“大王的问题太高明了！应当清楚地发布军令，选拔我方骁勇善战的强壮士兵，每人手持一把火炬，两人敲一面鼓，准确地弄清敌军的方位，迅猛发动进攻。有的攻击阵外，有的冲入阵内。攻击时以暗号互相联络，让我方士兵熄灭火炬，停止敲鼓，内外相应，按照约定时间猛击敌军。全军上下同仇敌忾，敌人必然失败逃跑。”

武王说：“您说得真的太好了！”

敌武

本篇讲述如何在敌强我弱的情况下应对敌人的突然来犯。

【原文】

武王问太公曰：“引兵深入诸侯之地，卒遇敌人，甚众且武，武车骁骑绕我左右。吾三军皆震，走不可止。为之奈何？”

太公曰：“如此者，谓之败兵。善者以胜，不善者以亡。”

武王曰：“用之奈何？”

太公曰：“伏我材士强弩，武车骁骑为之左右，常去前后三里。敌人逐我，发我车骑，冲其左右。如此，则敌人扰乱，吾走者自止。”

武王曰：“敌人与我车骑相当，敌众我少，敌强我弱。其来整治精锐，吾陈不敢当。为之奈何？”

太公曰：“选我材士强弩，伏于左右，车骑坚陈而处。敌人过我伏兵，积弩射其左右，车骑锐兵疾击其军，或击其前，或击其后。敌人虽众，其将必走。”

武王曰：“善哉。”

【译文】

武王问太公说：“带领部队深入敌国境内，突然遇到敌军，敌方士兵众多，勇武善战，以武冲大扶胥和骁勇的骑兵包围我军两翼，我方军心动摇，逃跑不能遏止，该怎么办呢？”

太公说：“这样的情况称为‘败兵’。擅长用兵就可以取胜，否则便会败亡。”

武王说：“那该怎么办呢？”

太公说：“在我方挑选勇武的士兵手持强弩埋伏起来，军队左右配备武冲大扶胥和骁勇的骑兵，距离主力部队三里左右。敌人若要追击，我方就出动埋伏的战车和骑兵，攻打敌人左右两翼，这样敌人就会上下混乱，我军逃跑的情况也就停止了。”

武王说：“敌人和我方车骑兵相遇，敌方兵多我方兵少，敌方强大我方弱小，敌方整装待发，阵形整齐，士兵勇猛，我方军阵无法阻挡，该怎么办呢？”

太公说：“选拔我军勇士手持强弩埋伏左右，车兵和骑兵布阵防守。敌人经过埋伏地时，我军以密集的弩箭攻击敌军左右，并让战车骑兵快速攻击，有的攻击前锋，有的攻击后方，敌军纵然兵力众多，其主将也一定会失败逃跑。”

武王说：“您说得太好了！”

鸟云山兵

本篇主要讲如何在山地进行防守和应对敌人的攻势。

【原文】

武王问太公曰：“引兵深入诸侯之地，遇高山盘石，其上亭亭，无有草木，四面受敌。吾三军恐惧，士卒迷惑。吾欲以守则固，以战则胜。为之奈何？”

太公曰：“凡三军，处山之高，则为敌所栖；处山之下，则为敌所囚。既以被山而处，必为鸟云之陈。鸟云之陈，阴阳皆备。或屯其阴，或屯其阳。处山之阳，备山之阴；处山之阴，备山之阳；处山之左，备山之右；处山之右，备山之左。其山，敌所能陵[1]者，兵备其表。衢道[2]通谷，绝以武车。高置旌旗，谨敕三军，无使敌人知我之情，是谓山城。行列已定，士卒已陈，法令已行，奇正已设，各置冲陈于山之表，便兵所处，乃分车骑为鸟云之陈。三军疾战，敌人虽众，其将可擒。”

【注释】

①陵：攀登，上升。

②衢道：四通八达的道路。

【译文】

武王问太公说：“带领部队深入敌国境内，遇到高山巨石，高高耸立在眼前，山上没有草丛树木作为掩护，四面受敌。我方军队非常恐慌，士兵疑惑。我若想让防守坚不可摧，作战就能获得胜利，该怎么做呢？”

太公说：“凡是将军队驻扎在山顶，总会被对方所困守；驻扎在山脚，又容易被敌军擒获。既然已经占据了高地的优势，就一定要使用鸟云之阵。鸟云之阵的优势在于，山的两面都可以兼顾。或者驻扎在山南，或者驻扎在山北。驻扎在山南，就要在山北设下防守；扎在山北，就要在山南设下防守。驻扎在山的左边，就要防守山的右边；驻扎在山的右边，就要防守山的左边。在山中凡是敌军能够攀登的地方，就要派兵严加防范。山间的岔路和通往山谷的道路，就要用战车阻挡。高高立起旌旗，告诫全军严加防守，不要让敌军知道我方的真实情况，这就叫以山为城。行列已经整装待发，士兵已经各就各位，号令已经执行，正面作战和变化的策略已经布下，让步兵在显眼的地方组成冲阵，有利于全军的防守，也要将车兵和骑兵按照鸟云之阵布好。全军上下迅速攻破敌军，敌方即使兵力众多，也能够将其主将擒获。”

鸟云泽兵

本篇主要讲述与敌军隔河相对的时候，在条件不利的情况下如何以埋伏和布阵的方法击退追击的敌军。

【原文】

武王问太公曰：“引兵深入诸侯之地，与敌人临水相拒。敌富而众，我贫而寡。逾水击之，则不能前；欲久其日，则粮食少。吾居斥卤之地①，四旁无邑，又无草木。三军无所掠取，牛马无所刍牧②，为之奈何？”

太公曰：“三军无备，牛马无食，士卒无粮，如此者，索便③诈敌而亟去之，设伏兵于后。”

武王曰：“敌不可得而诈，吾士卒迷惑。敌人越我前后，吾三军败乱而走。为之奈何？”

太公曰：“求途之道，金玉为主；必因敌使，精微④为宝。”

【注释】

①斥卤之地：荒凉贫瘠的盐碱地。

②刍牧：放牧。

③索便：寻找机会。

④精微：精细隐蔽。

【译文】

武王问太公说："带兵深入敌国境内，与敌军隔水相对。敌方士兵众多，并且物资充裕；我方物资匮乏，人数很少。若是想要渡过河去攻打敌人却不能向前，若是长期对峙又没有足够的粮草。我方驻扎在盐碱地，周围没有城邑，也没有树木草丛。全军无法获得粮食，也没有草料可以放牧牛马，该怎么办呢？"

太公说："全军上下没有渡河的工具，牛马没有足够的草料，士兵没有足够的粮食，面对这样的情况，只能寻找机会欺骗敌方，然后迅速撤退，并且在敌人后方设下埋伏。"

武王说："若是敌方不被我们的计谋所迷惑，我方士兵也不清楚形势。敌方从前后包抄我军，我方全部陷入混乱中而逃跑，该怎么办呢？"

太公说："寻找安全出路的方法，要以金玉财宝作为诱饵，通过敌方使者进行贿赂，然后禀报其主将，行事一定要精细隐蔽。"

【原文】

武王曰："敌人知我伏兵，大军不肯济，别将分队，以逾于水；吾三军大恐。为之奈何？"

太公曰："如此者，分为冲陈，便兵所处。须其毕出，发我伏兵，疾击其后，强弩两旁，射其左右；车骑分为鸟云之陈，备其前后；三军疾战。敌人见我战合，其大军必济水而来。发我伏兵，疾击其后；车骑冲其左右。敌人虽众，其将可走。

"凡用兵之大要，当敌临战，必宜冲陈，便兵所处。然后以车骑分为鸟云之陈，此用兵之奇也。所谓鸟云者，鸟散而云合，变化无穷者也。”

武王曰：“善哉。”

【译文】

武王说：“敌方知道我军的埋伏，主力军队不肯渡河，只是派出分队渡河而来。我方全军非常恐慌，该怎么办呢？”

太公说：“面对这样的情况，要将全军分成几部分组成四武冲阵，在有利我方的地方交战。等到敌军渡河的时候，我方的伏兵从背后攻击敌军，派强弩兵射其左右两翼。然后用车兵和骑兵布下鸟云阵，防备前后，全军迅速攻击敌军。敌人见两军已经交战，主力大军必定渡河来攻。此时，命令我方伏兵，迅速攻击敌军后方。车兵和骑兵冲杀敌军的两翼。敌军即使兵力众多，其主将也必将逃遁而去。

“凡是用兵的要领，就在于与敌军交战之时，一定要组成冲锋的阵形，选择有利于我方的交战地点。然后将车兵和骑兵布成鸟云阵，这就是用兵出奇的地方。所谓鸟云阵，就是阵行如飞鸟离散、流云汇集，时聚时散，变化万千。”

武王说：“您说得太好了。”

少众

本篇主要讲述兵法中以少击众、以弱胜强的战略，可以借助种种有利的客观条件达成所愿。

【原文】

武王问太公曰："吾欲以少击众，以弱击强。为之奈何？"

太公曰："以少击众者，必以日之暮，伏以深草，要之隘路。以弱击强者，必得大国而与，邻国之助。"

武王曰："我无深草，又无隘路。敌人已至，不适日暮；我无大国之与，又无邻国之助。为之奈何？"

太公曰："妄张诈诱，以荧惑①其将。迂其道，令过深草；远其路，令会日暮。前行未渡水，后行未及舍，发我伏兵，疾击其左右，车骑扰乱其前后。敌人虽众，其将可走。事大国之君，下邻国之士；厚其币，卑其辞。如此，则得大国之与，邻国之助矣。"

武王曰："善哉。"

【注释】

①荧惑：迷惑。

【译文】

武王问太公说："我想要以少量士兵战胜敌方大量士兵，以较弱的兵力攻击强势的敌军，该怎么做呢？"

太公说："以少击众，一定要在日落西山的时候，以茂密的草丛作为掩护，在狭窄的小路上攻击敌军。以弱胜强，一定要得到大国的支持和邻国的援助。"

武王说："我方占领的地方没有茂密的草丛，也没有狭窄的道路，敌人大兵将至，也不是黄昏时分，我方没有大国支持也没有邻国之助，该怎么办呢？"

太公说："应该虚张声势，欺骗引诱敌方将领。让他们迂回行进，使敌军经过茂密的草丛；引诱敌军绕远路，等到黄昏时分再与敌军交战。在敌人先锋还没有渡过江河，后续部队还没有回到军营之中的时候，我方埋伏的士兵出击，迅速攻击敌军两翼，用车兵骑兵扰乱敌方前后部队。敌军即使人数众多，其主将也会败逃。用这种办法还要配合外交上的谋略，恭敬谦卑地侍奉大国君主，对邻国的贤德之才以礼相待，多以礼物相送，以谦虚的辞令对待别国。这样就能得到大国的支持和邻国的援助了。”

武王说：“您说得太好了！”

分险

本篇主要讲述如何借助山水险要之利布阵取得胜利。

【原文】

武王问太公曰：“引兵深入诸侯之地，与敌人相遇于险厄之中。吾左山而右水，敌右山而左水，与我分险相拒。吾欲以守则固，以战则胜。为之奈何？”

太公曰：“处山之左，急备山之右；处山之右，急备山之左。险有大水，无舟楫者，以天潢济吾三军。已济者，亟广吾道，以便战所。以武冲为前后，列其强弩，令行陈皆固。衢道谷口，以武冲绝之，高置旌旗，是谓车城。

“凡险战之法，以武冲为前，大橹为卫，材士强弩翼吾左右。三千人为屯，必置冲陈，便兵所处。左军以左，右军以右，中军以中，并攻而前。已战者，还归屯所，更战更息，必胜乃已。”

武王曰：“善哉。”

【译文】

武王问太公说：“带领士兵进入敌国境内，和敌人狭路相逢。我方左边为山右边为水，敌方右边为山左边为水，敌我双方对峙。我想要采取防守就坚不可摧，作战就能获胜，该怎么做呢？”

太公说：“我军在山的左方，就一定要迅速在山的右方设防；在山的右方，就一定要在山的左方设防。险要的地方若有大江大河，我方没有可以渡河的船只，就用天潢帮助我军渡河，已经渡过的先锋部队，要立刻拓宽我军行进道路，以便于作战。用武冲大扶胥回护我军后方，用强力的弓弩保护，保持我军行阵稳固。分岔路和通往山谷的道路，用武冲阻塞，高高竖起旌旗，这就是‘车城’。

“但凡在险要地方获胜的方法，主要有：以武冲大扶胥作为先锋，武翼大橹矛戟作为掩护，勇武的士兵手持强弩围护左右。三千人为一屯，设下四武冲阵，布阵在利于我方的地区。作战时左方军队从左方发动进攻，右方军队从右方发动进攻，中部的军队并肩进攻向前。已经战斗过的军队回到驻扎的地方，如此轮番作战和休息，直到取得胜利才停止战斗。”

武王说：“您说得太好了！”

犬韬

分合

本篇主要讲述如何集合各路军队会战，以严明的纪律和赏罚机制保证全军上下一致。

【原文】

武王问太公曰："王者帅师，三军分为数处，将欲期会①合战，约誓赏罚。为之奈何？"

太公曰："凡用兵之法，三军之众，必有分合之变。其大将先定战地、战日，然后移檄书②与诸将吏：期攻城围邑，各会其所；明告战日，漏刻③有时。大将设营而陈，立表辕门，清道而待。诸将吏至者，校其先后。先期至者，赏；后期至者，斩。如此，则远近奔集，三军俱至，并力合战。"

【注释】

①期会：约定好的会合时间。

②檄（xí）书：一种官方文书，分为谴责性的文檄和声讨性的武檄。

③漏刻：即漏壶，古代一种计时的工具。

【译文】

武王问太公说："君主率领军队出兵，全军兵分几路前进。主将想要按照预定时间会合统一作战，约定好赏罚规定，该怎么办呢？”

太公说：“但凡用兵之道，军队士兵众多，一定要懂得分兵和会合的奥妙之法。主将事先定好作战地点和时间，然后以文书的方式发给各级将领：攻击城邑之前，各路将士要各就其位；明确作战时间，以漏刻精确计算时间。主将设下军营布好军阵，在营门之外设下测量日影的标杆以记录时间，清除道路阻碍，等待各路将士。在各路将士到来之时，要考量其到达的时间先后，早到的予以赏赐，在约定时间之后到的立刻处决。如此，无论远近的军队都会赶来会合，军队全部到齐之后，就可以齐心协力地共同作战了。”

武锋

本篇主要讲述对我方有利的十四种可以进攻敌方的情景。

【原文】

武王问太公曰：“凡用兵之要，必有武车骁骑，驰陈选锋①，见可则击之。如何则可击？”

太公曰：“夫欲击者，当审察敌人十四变。变见则击之，敌人必败。”

【注释】

①选锋：精选出来的勇士。

【译文】

武王问太公说：“大凡用兵的关键，一定要有大型战车，骁勇有力的骑兵，敢于驰骋的先锋部队，以及有利的进攻时机，那么要怎么抓住机会攻打敌人呢？”

太公说：“但凡攻击就要仔细察看敌方的十四种变化，这些变化一旦出现，敌军就一定会被击败。”

【原文】

武王曰：“十四变可得闻乎？”

太公曰：“敌人新集，可击；人马未食，可击；天时不顺，可击；地形未得，可击；奔走，可击；不戒，可击；疲劳，可击；将离士卒，可击；涉长路，可击；济水，可击；不暇，可击；阻难狭路，可击；乱行，可击；心怖，可击。”

【译文】

武王说：“可以听您讲一讲这十四种变化情况吗？”

太公说：“敌军刚刚汇集，可以进攻；敌军将士没有足够的粮食，马也没有草料，可乘其兵马无力进攻；敌方不顺应物候和季节变化，可以进攻；敌方没有占据有利地形，可以进攻；敌军奔走时，可以进攻；敌军没有防备时，可以进攻；敌军人困马乏之时，可以进攻；敌方主将和士兵人心不齐，可以进攻；敌军长途跋涉，可以进攻；敌军渡河，可以进攻；敌军慌乱，无法顾及战事可以进攻；敌方处于狭窄小路，可以进攻；敌方行阵散乱亟须治理，可以进攻；敌方内心惶惑畏惧，可以进攻。”

练士

本篇主要讲述如何按照不同类型组合士兵。

【原文】

武王问太公曰："练①士之道奈何？"

太公曰："军中有大勇、敢死、乐伤者，聚为一卒②，名为冒刃之士；有锐气、壮勇、强暴者，聚为一卒，名曰陷陈之士；有奇表长剑，接武齐列者，聚为一卒，名曰勇锐之士；有拔距③伸钩，强梁多力，溃破金鼓，绝灭旌旗者，聚为一卒，名曰勇力之士；有逾高绝远，轻足善走者，聚为一卒，名曰寇兵之士；有王臣失势，欲复见功者，聚为一卒，名曰死斗之士；有死将之人子弟，欲与其将报仇者，聚为一卒，名曰敢死之士；有赘婿人虏，欲掩迹扬名者，聚为一卒，名曰励钝之士；有贫穷愤怒，欲快其心者，聚为一卒，名曰必死之士；有胥靡④免罪之人，欲逃其耻者，聚为一卒，名曰幸用之士；有材技兼人，能负重致远者，聚为一卒，名曰待命之士。此军之练士，不可不察也。"

【注释】

①练：挑选。

②卒：古代军队编制以百人为一卒。

③拔距：古代一种锻炼臂力的游戏。

④胥靡：囚犯。

【译文】

武王问太公说："选拔士兵的方法是怎样的呢？"

太公说："军队中有勇敢力气大、敢于牺牲、以受伤为荣的士兵，将他们编在一队，称为冒刃之士；有动作敏捷、健壮强悍、勇敢的士兵，将他们编在一起，称为陷阵之士；有外表奇伟、善用长剑、步伐稳健、行阵整齐的士兵，将他们编在一起，称为勇锐之士；有臂力过人、力大能拉直弯钩，能冲入敌军破坏战鼓旌旗的，将他们编在一起，称为勇力之士；有擅长越高行远、脚步轻盈动作敏捷且善于行走的士兵，将他们编在一起，称为寇兵之士；有失去权势的臣子，希望再次建功立业的，将之编为一队，称为死斗之士；有阵亡将领的后代，要为他们复仇的，将之编为一队，称为敢死之士；有上门女婿或是曾经被俘的士兵，想要遮掩劣迹的，将之编为一队，称为励钝之士；有穷极愤怒，希望实现志向的士兵，将他们聚集在一起，称为必死之士；有服刑役释放，希望洗刷耻辱的士兵，将之编为一队，称为幸用之士；有才华技能超过常人，却能负重远行的士兵，将他们编为一队，称为待命之士。这就是军队中选拔士兵的方法，不能不慎重对待，仔细明察。"

教战

本篇主要讲述如何以一带十，逐步完成整支军队的作战演练。

【原文】

武王问太公曰："合三军之众，欲令士卒服习教战[1]之道，奈何？”

太公曰：“凡领三军，必有金鼓之节，所以整齐士众者也。将必先明告吏士，申之以三令，以教操兵[2]起居、旌旗指麾之变法。故教吏士：使一人学战，教成，合之十人；十人学战，教成，合之百人；百人学战，教成，合之千人；千人学战，教成，合之万人；万人学战，教成，合之三军之众；大战之法，教成，合之百万之众。故能成其大兵，立威于天下。”

武王曰：“善哉。”

【注释】

①服习：掌握。教战：军事训练。

②操兵：使用兵器。

【译文】

武王问太公说：“会合全军将士，想要让全军士兵掌握作战的基本技能，该怎么办呢？”

太公说：“但凡统率军队，一定要有金铎和战鼓的控制，这是为了让士兵们行动整齐一致。将领一定要明确告诉全体士兵行进统一。将领一定要先行告诫士兵，反复强调法令，然后具体传授士兵使用兵器的方法、列阵的要领和分辨服从旌旗而行动的方法。训练士兵要做到：让一个人学会作战方法，之后十人合练；十人学习作战基本要领，学会后百人合练；百人学会作战要领后，千人合练；千人学会作战要领后，再万人合练；训练完成后组织全军共同训练；等全军训练成了，还要百万之众共同训练。这样就能成就强大的军队，扬威于天下。”

武王说：“您说得太好了！”

均兵

本篇主要介绍车兵、骑兵、步兵的作战能力，以及车兵骑兵的军官配备和布阵标准。

【原文】

武王问太公曰："以车与步卒战，一车当几步卒？几步卒当一车？以骑与步卒战，一骑当几步卒？几步卒当一骑？以车与骑战，一车当几骑？几骑当一车？"

太公曰："车者，军之羽翼也，所以陷坚陈，要强敌，遮走北也。骑者，军之伺候[①]也，所以踵[②]败军，绝粮道，击便寇也。故车骑不敌战，则一骑不能当步卒一人。三军之众成陈而相当，则易战之法：一车当步卒八十人，八十人当一车；一骑当步卒八人，八人当一骑；一车当十骑，十骑当一车。险战之法：一车当步卒四十人，四十人当一车；一骑当步卒四人，四人当一骑；一车当六骑，六骑当一车。夫车骑者，军之武兵也。十乘败千人，百乘败万人；十骑败百人，百骑走千人，此其大数也。"

【注释】

①伺候：侦察、突击的部队。

②踵：跟踪，追击。

【译文】

武王问太公说："用车兵和敌军的步兵作战，一辆战车的作战能力相当于几个步兵？几个步兵能够抵挡一辆战车？以骑兵和步兵作战，一个骑兵相当于几个步兵？几个步兵能抵御一个骑兵？用战车和敌军骑兵作战，一辆战车相当于几个骑兵？几个骑兵能够抵御一辆战车？”

太公说：“战车就如同军队的左右两翼，它能够攻破敌军坚固的阵营，截断强大敌军的退路，让敌军溃败逃散。骑兵，是军队侦察突击的力量，可以用骑兵追击逃跑的敌军，断绝敌军的粮食运输，攻击动作敏捷轻巧的敌军。所以若是战车和骑兵不能因形势变化自如的话，一个骑兵的作战能力就无法和一名步兵相当。全军上下组成阵营，在适合战车和骑兵出动的地方作战。在平坦地势上作战的标准是：一辆战车的作战能力相当于八十名步兵，八十名步兵可以抵挡一辆战车；一名骑兵的作战能力相当于八名步兵，八名步兵可以抵挡一名骑兵；一辆战车的作战能力，相当于十名骑兵，十名骑兵可以抵挡一辆战车。在地势危险的地方作战标准是：一辆战车的作战能力相当于四十名步兵，四十名步兵可以抵御一辆战车；一名骑兵相当于四名步兵，四名步兵能抵挡一名骑兵；一辆战车相当于六名骑兵，六名骑兵可以抵挡一辆战车。战车和骑兵是军队中最威武的兵力。十辆战车能够击败上千人，百辆战车可以击败上万人；十名骑兵可以击败上百人，上百名骑兵可以让上千名步兵战败而逃，这就是大概的数量比例。”

【原文】

武王曰：“车骑之吏数陈法，奈何？”

太公曰：“置车之吏数：五车一长，十车一吏，五十车一率，百车一将。易战之法：五车为列，相去四十步，左右十步，队间六十步。险战之法：车必循道，十车为聚，二十车为屯，前后相去二十步，左右六步，队间三十六步。五车一长，纵横相去二里，各返故道。置骑之吏数：五骑一长，十骑一吏，百骑一率，二百骑一将。易战之法：五骑为列，前后相去二十步，左右四步，队间五十步。险战者：前后相去十步，左右二步，队间二十五步。三十骑为一屯，六十骑为一辈。十骑一吏，纵横相去百步，周环各复故处。”

武王曰：“善哉。”

【译文】

武王说：“车兵骑兵的军队编制和布阵的标准是怎样的呢？”

太公说：“战车和骑兵的配置比例是：五辆战车配备一长，十辆战车配备一吏，五十辆战车配备一率，百辆战车配备一将。在地形平坦的地方作战的方法是：五辆战车组成一列，战车前后相距四十步，左右相距十步，队伍之间的距离是六十步。在险要地方作战的方法是：战车一定要遵循指定道路前行，十辆战车组成一聚，二十辆战车组成一屯，车与车相距二十步，左右相距六步，队列之间相距三十六步。五辆战车配一长，前后左右各相距二里，各自按照原路返回。骑兵配军官，需要五名骑兵配备一长，十名骑兵配备一吏，百名骑兵配备一率，二百名骑兵配备一将。在平坦之地作战的方法是：五名骑兵为一列，骑兵前后相距二十步，左右相距四步，队列之间相距五十步。在险要之地作战的方法是：骑兵前后相距十步，左右相距两步，队列之间相距二十五步。三十名骑兵为一屯，六十名骑兵为一辈。十名骑兵配一吏，前后左右相距百步，交战后各归原位。”

武王说：“您说得太好了！”

武车士

本篇讲述如何选拔战车上的士兵。

【原文】

武王问太公曰：“选车士，奈何？”

太公曰：“选车士之法：取年四十以下，长七尺五寸以上，走能逐奔马，及驰[1]而乘之，前后左右，上下周旋，能缚束旌旗；力能彀[2]八石弩，射前后左右，皆便习[3]者，名曰武车之士，不可不厚也。”

【注释】

①及驰：追得上奔驰的战车。

②彀（gòu）：将弓弩张满。

③便习：熟练掌握。

【译文】

武王问太公说：“该怎么样选择战车的士兵呢？”

太公说：“选拔战车士兵的方法有：选择年龄四十岁以下、身高七尺五寸以上，跑起来能追上奔驰的骏马，还能在奔跑中跃上战车，能在战车的前后、左右、上下灵活周旋，能在战车上牢牢握住旌旗；力气大到能够拉满张力八石的强弩，向前后左右发射弓箭非常熟练的士兵，称为武车之士，不能不厚待他们。”

武骑士

本篇讲述将领应该如何选拔骑士。

【原文】

武王问太公曰：“选骑士，奈何？”

太公曰：“选骑士之法：取年四十以下，长七尺五寸以上，壮健捷疾，超绝伦等；能驰骑彀射，前后左右，周旋进退；越沟堑，登丘陵，冒险阻，绝大泽；驰强敌，乱大众者，名曰武骑之士，不可不厚也。”

【译文】

武王问太公说：“怎样选拔骑士呢？”

太公说：“选拔骑士的标准是：选取年龄在四十岁以下，身高在七尺五寸以上，身体健壮动作敏捷，身体条件超过同龄人；善于骑马奔跑，精于射箭，在马背上能够前后左右周旋自如；能够骑马飞跃沟壑，登上山丘，冲破艰难险阻，横渡大泽；追赶强劲的敌人，扰乱敌方主力部队的士兵，这样的人能够充当武骑士，不能不厚待他们。”

战车

本篇主要讲述车兵作战的十种有害地形和八种可能胜利的情况。

【原文】

武王问太公曰：“战车，奈何？”

太公曰：“步贵知变动，车贵知地形，骑贵知别径奇道，三军同名而异用也。凡车之死地有十，胜地有八。”

武王曰：“十死之地，奈何？”

太公曰：“往而无以还者，车之死地也；越绝险阻，乘敌①远行者，车之竭地也；前易后险者，车之困地也；陷之险阻而难出者，车之绝地也；圮②下渐泽，黑土黏埴者，车之劳地也；左险右易，上陵仰阪③者，车之逆地也；殷草横亩，犯历④深泽者，车之拂地也；车少地易，与步不敌者，车之败地也；后有沟渎，左有深水，右有峻阪者，车之坏地也；日夜霖雨，旬日不止，道路溃陷，前不能进，后不能解者，车之陷地也。此十者，车之死地也。故拙将之所以见擒，明将之所以能避也。”

【注释】

①乘敌：追击敌人。

②圮（pǐ）：坍塌。

③仰阪：登上山坡。

④犯历：陷入。

【译文】

武王问太公说："如何使用战车进行作战呢？"

太公说："使用步兵贵在反应机敏，车兵贵在熟知地形，骑兵贵在了解各种特别的道路，这三种兵虽然都是士兵但作用各有不同。但凡用战车作战，让战车陷入死地的情况有十种，让战车胜利的情况有八种。"

武王说："这十种死地是怎么样的呢？"

太公说："可以前行但不能后退的，是战车灭亡的地方；越过险阻，远途追击敌人，这是战车消耗殆尽的地方；前方地形平坦，后方寸步难行，这是战车容易被困的地方；陷入麻烦却难以突破重围，这是战车没有生路的地方；道路坍塌、积水的洼地、黑土黏稠成泥，让战车难以前行，这是战车劳顿的地方；左边地势险要，右边地形平坦，需要上山爬坡的，是战车作战不顺利的地方；横穿杂草丛生的荒原，越过水深的沼泽，这是战车行进缓慢的地方；战车数量少，作战地形平坦，和步兵也难以配合，这是战车易被打败的地方；后方有纵深的沟壑，左边有深水，右边有高山，这是战车被毁坏的地方；日夜下雨，连续十天不停，道路泥泞难以前行，又无法后退，这是战车陷入困境的地方。这十种是战车的必死之地。所以愚笨的将领因为不了解这十种死地而战败被俘，明智的将领因能避开这十种死地而获得胜利。"

【原文】

武王曰："八胜之地，奈何？"

太公曰："敌之前后，行陈未定，即陷之；旌旗扰乱，人马数动，即陷之；士卒或前或后，或左或右，即陷之；陈不坚固，士卒前后相顾，即陷之；前往而疑，后恐而怯，即陷之；三军卒惊，皆薄而起，即陷之；战于易地，暮不能解，即陷之；远行而暮舍，三军恐惧，即陷之。此八者，车之胜地也。将明于十害八胜，敌虽围周，千乘万骑，前驱旁驰，万战必胜。”

武王曰：“善哉。”

【译文】

武王说：“八种利于战车作战的情况是怎样的呢？”

太公说：“敌人前后不整，队阵尚未稳定，就用战车攻陷；敌方旌旗混乱，人马不断调度，就用战车打败它；敌方士兵不知向前向后，还是向左向右，就用战车打败它；敌方行阵不稳，士兵左顾右盼，就用战车打败它；敌方行进心存疑虑，向后又心生胆怯，就用战车打败它；敌方突然被惊吓，全都蜂拥地向后撤退，就用战车打败它；敌我双方在平坦的地带作战，直到天黑都难分胜负，就用战车攻打它；敌方长途跋涉，晚上安营扎寨，全军上下惶恐不安，就用战车打败它。这八种情形使用战车必定能获胜。主将能够了解这十败八胜，即使敌方将我军包围，用千车万骑攻打，左右厮杀，我军也一定能战无不胜。”

武王说：“您说得太好了！”

战骑

本篇主要讲述骑兵作战的十种战机和九种落败的因缘。

【原文】

武王问太公曰："战骑，奈何？"

太公曰："骑有十胜九败。"

武王曰："十胜，奈何？"

太公曰："敌人始至，行陈未定，前后不属，陷其前骑，击其左右，敌人必走。敌人行陈整齐坚固，士卒欲斗，吾骑翼而勿去，或驰而往，或驰而来，其疾如风，其暴如雷，白昼而昏，数更旌旗，变易衣服，其军可克。敌人行陈不固，士卒不斗，薄其前后，猎其左右，翼而击之，敌人必惧。敌人暮欲归舍，三军恐骇，翼其两旁，疾击其后，薄其垒口，无使得入，敌人必败。敌人无险阻保固，深入长驱，绝其粮路，敌人必饥。地平而易，四面见敌，车骑陷之，敌人必乱。敌人奔走，士卒散乱，或翼其两旁，或掩其前后，其将可擒。敌人暮返，其兵甚众，其行陈必乱；令我骑十而为队，百而为屯，车五而为聚，十而为群，多设旌旗，杂以强弩；或击其两旁，或绝其前后，敌将可虏。此骑之十胜也。"

【译文】

武王问太公说："如何用骑兵作战呢？"

太公说："骑兵作战获胜有十种良机，九种容易导致失败的方式。"

武王说："十胜是怎样的呢？"

太公说："敌人刚刚到达，行阵还没有定下来，前后部队无法做到互相连贯，我方攻击他们的先行部队和左右两翼，敌方一定会败阵逃跑。敌方行阵稳固，士兵作战士气高涨，我方骑兵不停夹击敌方左右两翼，时而奔驰，迅疾如风，猛烈如雷，从白天到黄昏，不断改旗易帜、更换服装，让敌人疑惑恐慌，就能打败敌人。敌方行阵不稳固，士兵没有士气，我方迅速贴近他们的前后军队，冲击其左右两翼，敌方必然会军心大乱。天色黑了，敌军就要回营，军队都惊恐不安，此时以我军两翼部队攻打敌人两翼，迅速占领敌军后方，逼近敌营大门，让敌军无法退回营垒，就一定会溃不成军。敌方没有险要地势可以固守，我方骑兵长驱直入，阻断他们的粮食补给运输道路，敌人一定会饥饿难以作战。作战地域开阔平坦，可以望见敌人，就用战车和骑兵猛烈进攻，敌方一定会散乱败逃。敌方奔跑离散，士兵散乱，我方骑兵可以从两翼包抄，冲击敌方前后部队，便可以擒获敌方主将。敌方日暮时分返回军营，士兵众多，他们的行阵一定会混乱不堪；让我方骑兵十名组成一队，百名组成一屯，战车五辆为一聚，十辆为一群，大量插上旌旗，中间配备手持强弩的士兵；能够攻击敌军两侧部队，也可以袭击敌军前后部队，敌方将领可以被俘获。这就是骑兵获胜的十种良机。"

【原文】

武王曰："九败，奈何？"

太公曰："凡以骑陷敌而不能破陈；敌人佯走，以车骑返击我后，此骑之败地也。追北逾险，长驱不止；敌人伏我两旁，又绝我后，此骑之围地也。往而无以返，入而无以出，是谓陷于天井①、顿于地穴，此骑之死地也。所从入者隘，所从出者远；彼弱可以击我强，彼寡可以击我众，此骑之没地也。大涧深谷，翳薉林木，此骑之竭地也。左右有水，前有大阜，后有高山；三军战于两水之间，敌居表里，此骑之艰地也。敌人绝我粮道，往而无以返，此骑之困地也。污②下沮泽，进退渐洳③，此骑之患地也。左有深沟，右有坑阜，高下如平地，进退诱敌，此骑之陷地也。此九者，骑之死地也。明将之所以远避，闇④将之所以陷败也。"

【注释】

①天井：四面高中间低的地带。

②污：通"洼"。

③渐洳：低湿地带。

④闇（àn）：昏庸。

【译文】

武王说："九种失败的情形是怎样呢？"

太公说："但凡用骑兵攻打而不能攻克敌方阵营，敌人佯装逃走，以战车骑兵攻打我军后方，这就是骑兵的败地。追击逃跑的敌军，越过险阻，长驱直入不停歇，敌人埋伏在我军左右，切断我军后路，这就是骑兵的围地。前去作战不能返回军营，深入敌营不能全身而退，就叫作陷入天井，困在地穴之中，这就是骑兵的死地。全军行进入口狭窄，出口却十分遥远，敌方能够以微弱兵力攻打我方强盛兵力，以少量兵力攻打我方众多兵力，这就叫作骑兵的没地。山涧深谷，草木茂盛，这就是骑兵的竭地。左右两侧有河，前方有丘陵，后方有高山，全军在两河间作战，前后都有敌人围追堵截，这就是骑兵的艰地。敌方断绝了我方粮草通道，让我军有进无退，这就是骑兵的困地。身在洼地沼泽进退两难，这就是骑兵的患地。左有深沟，右有土坑土山，由高到低如同平地，这种地形前进后退都容易招致攻击，这就是骑兵的陷地。这九个方面就是骑兵的死地。明智的将领懂得远远地避开，昏庸的将领不知道回避因而导致全军败亡。”

战步

本篇主要讲述敌军车兵骑兵来犯时，我方步兵如何在地形有利或不利的情况下迎战。

【原文】

武王问太公曰：“步兵与车骑战，奈何？”

太公曰：“步兵与车骑战者，必依丘陵险阻，长兵①强弩居前，短兵弱弩居后，更发更止②。敌之车骑，虽众而至，坚陈疾战，材士强弩，以备我后。”

武王曰：“吾无丘陵，又无险阻。敌人之至，既众且武，车骑翼我两旁，猎我前后。吾三军恐怖，乱败而走。为之奈何？”

太公曰：“令我士卒为行马、木蒺藜，置牛马队伍，为四武冲陈；望敌车骑将来，均置蒺藜；掘地匝[3]后，广深五尺，名曰命笼。人操行马进步，阑车以为垒，推而前后，立而为屯；材士强弩，备我左右。然后令我三军，皆疾战而不解[4]。”

武王曰：“善哉。”

【注释】

①长兵：长柄兵器。

②更发更止：轮番作战休息。

③匝：环绕。

④解：通“懈”。

【译文】

武王问太公说：“以步兵对抗敌方的车兵和骑兵，该怎么做呢？”

太公说：“步兵和车兵、骑兵作战，一定要借助丘陵或险阻地形之便，手持长柄兵器和强弩的士兵在前，手持短兵器和威力较弱的弩的士兵在后，轮流进行作战和休息。敌方的车兵和骑兵纵然强大，我方依然能够固守行阵，士兵作战迅速，勇武的士兵手持强弩保卫我军后方，我方就不会失败。”

武王说：“我方既没有丘陵也没有险阻地形可用，敌人士兵众多，且都勇猛威武，战车、骑兵攻击我方两翼和前后，我方士兵十分恐慌，自乱阵脚，溃散逃跑，该怎么办呢？”

太公说：“让我方士兵准备行马和木蒺藜，将牛马连成一行，布下四武冲阵；远远看到敌方车兵和骑兵进犯，就在我军周围环绕摆下木蒺藜；绕着后方挖沟作为后方防备，沟的宽度和深度各五尺，称为‘命笼’。步兵手拿行马向前，将成行的战车作为营垒，推动它们前后行进，停下来就是可以防备的营垒；手持强弩的勇武士兵在左右两翼护卫，然后让全军迅速作战，不得懈怠。”

武王说：“您说得太好了！”

三略

《三略》，原称《黄石公记》，因它分上中下三卷，又被称为《黄石公三略》，简称《三略》，是中国古代著名兵书，北宋神宗元丰年间被列《武经七书》之一。相传为黄石公传给张良，但据《史记·留侯世家》记载，黄石公传给张良的书并非《三略》，而是《太公兵法》。

上 略

上略主要论述君主治国必须礼贤下士，赏罚分明，明辨贤佞，选贤任能，让官位俸禄能够与功绩相匹配。在治国平乱方面，君主要特别重视英雄，让国家能够长治久安，篇中也提到了主将作战所必备的素质、恪守的原则，以及作战成败和国家盛衰的一些道理。

【原文】

夫主将之法，务揽英雄之心，赏禄有功，通志于众。故与众同好靡不成，与众同恶靡不倾。治国安家，得人也；亡国破家，失人也。含气之类①咸愿得其志。

【注释】

①含气之类：指人。

【译文】

统领的办法，务必要收揽英雄的心。将禄位赏给有功之人，将自己的志向与众人贯通。所以，与众人追寻的目标一致，目标没有不能实现的；与众人同仇敌忾，就没有无法消灭的敌人。国家太平家庭安稳，是因为得到了人心；国亡家破，是因为失去了人心。人都愿意实现自己的志向。

【原文】

《军谶》曰：“柔能制刚，弱能制强。”柔者德也。刚者贼也。弱者人之所助，强者怨之所攻。柔有所设，刚有所施，弱有所用，强有所加，兼此四者而制其宜。端末未见，人莫能知。天地神明，与物推移，变动无常。因敌转化，不为事先，动而辄随。故能图制无疆，扶成天威。匡正八极，密定九夷。如此谋者，为帝王师。故曰：莫不贪强，鲜能守微；若能守微，乃保其生。圣人存之，动应事机。舒之弥四海，卷之不盈怀，居之不以家宅，守之不以城郭，藏之胸臆，而敌国服。

《军谶》曰："能柔能刚，其国弥光；能弱能强，其国弥彰。纯柔纯弱，其国必削；纯刚纯强，其国必亡。"

【译文】

《军谶》说："柔能制服刚，弱能制服强。"柔是一种美德，刚是一种灾难。弱者容易得到人们的同情和帮助，强者容易受到人们的怨怼攻击。有时候用柔，有时候要用刚，有时候需要示弱，有时候需要刚强，这四者兼顾就能根据万物变化而运用恰当。事物的本末还没有显现时，平常人是无法认识到它（的本质）的。天地神明，是可以随着万物的变化而显现出来的。要根据敌方情况的变化而采取相应的策略，在形势不成熟之前不要采取行动，一旦时机成熟，就立刻行动。这样就能够做到百战不殆，无所阻碍，辅佐君王威霸天下，让天下统一安定了。像这样的谋士，就可以当帝王的老师了。所以说，没有不争强好胜的，却很少有人知道此中幽微细致的道理；如果能够懂得这个道理，就可以保全自己的性命了。圣人懂得了这个道理，行动总是应时而变。这个幽微细致的道理，展开能够波及四海，合拢起来却不满怀抱。安置它不需要使用房屋，守护它不需要城池。藏在心中，就能够让敌国屈服。

《军谶》说："可柔可刚，国家的命运就充满光明；可弱可强，国家就能永葆昌盛。单纯用柔和弱，国家必然会被外敌削弱；单纯用刚和强，国家必定会走向灭亡。"

【原文】

夫为国之道，恃贤与民。信贤如腹心，使民如四肢，则策无遗。所适如支体相随，骨节相救，天道自然，其巧无间。军国之要，察民心，施百务。危者安之，惧者欢之，叛者还之，冤者原之，诉者察之，卑者贵之，强者抑之，敌者残之，贪者丰之，欲者使之，畏者隐之，谋者近之，谗者覆之，毁者复之，反者废之，横者挫之，满者损之，归者招之，服者居之，降者脱之。获固守之，获厄塞之，获难屯之，获城割之，获地裂之，获财散之。敌动伺之，敌近备之，敌强下之，敌佚去之，敌陵待之，敌暴绥之，敌悖义之，敌睦携之。顺举挫之，因势破之，放言过之，四网罗之。得而勿有，居而弗守，拔而勿久，立而勿取，为者则己，有者则士，焉知利之所在！彼为诸侯，己为天子。使城自保，令士自取。

【译文】

治理国家之道，在于依靠贤德之士和百姓。信任贤者如心腹，役使百姓如手足，这样谋略就不会有什么差错了。如此国家就会如同四肢协调于身体，骨头和关节一般互相照应，像天道运行一般顺应自然，巧妙得不留痕迹。治军治国的关键，在于体察百姓，并施行恰当的措施。让处于危难中的人得以安抚，心存畏惧的人得以愉悦，流浪逃亡的得以归顺，蒙受冤屈的得以昭雪，向上申诉的得以调查清楚，地位卑微的得以提拔，恃强凌弱的受到抑制，让与我敌对的得以剪除，想要功名的获得满足，毛遂自荐的得以任用，畏惧的人得以隐藏，善于谋划的得以亲近，诋毁他人的获罪，叛乱的人得以灭亡，让蛮横之人受挫，骄傲自满的受损，归顺的人得到安抚，被征服的妥善安置，投降的人获得豁免。占领了严防之地就要好好把守，占领了险要之地就要加以阻塞，占领了易守难攻的地方就要驻兵屯守，得到了城邑就要分赏给有功之臣，占领了土地就要分封给肱股之士，得到钱财就要散给众人。密切侦察敌人的行动，防备敌人的逼近，敌人强大就示弱，敌人以逸待劳时就要避开，敌人进犯就要等待他的衰微，敌人暴虐就要争取他的人心，敌人有悖情理就用正义征讨，敌人和睦就要离间他。顺应敌人的一举一动让他受挫，按照敌人的形势攻击他，散布假情报让敌人犯错，四面包抄将敌人消灭。胜利时不居功自傲，获得财物不要独自占有，夺取城池不要打持久战，选择敌国敌人作为他们的国君而不要取而代之。决策在自己，功劳归将士，哪里知道这才是真正的利益所在啊！让别人做诸侯，自己做天子。让他们各自保卫城邑，各自征收赋税。

【原文】

世能祖祖，鲜能下下。祖祖为亲，下下为君。下下者，务耕桑不夺其时，薄赋税不匮其财，罕徭役不使其劳，则国富而家娭，然后选士以司牧之。夫所谓士者，英雄也。故曰：罗其英雄，则敌国穷。英雄者，国之干；庶民者，国之本。得其干，收其本，则政行而无怨。

【译文】

世上人都能尊崇祖先，却很少有人爱惜百姓。尊崇祖先只是宗族之亲，爱惜百姓才是为君之道。爱惜百姓，就是要重视农耕蚕桑，不侵占农时，减轻赋税，不让百姓资财匮乏，这样国家就能富强，百姓生活就能安乐，然后再选拔贤士管理他们。所谓贤士，就是人们口中的英雄。所以说，收服敌国英雄的心，敌国就会陷入进退两难的境地。英雄是国家的肱股；百姓是国家的根本。得到了肱股，获得了根本，就能让政令上通下达，百姓没有怨言。

【原文】

夫用兵之要，在崇礼而重禄。礼崇则智士至，禄重则义士轻死。故禄贤不爱财，赏功不逾时，则下力并而敌国削。夫用人之道，尊以爵，赡以财，则士自来；接以礼，励以义，则士死之。夫将帅者，必与士卒同滋味而共安危，敌乃可加，故兵有全胜，敌有全囚。昔者良将之用兵，有馈箪醪者，使投诸河与士卒同流而饮。夫一箪之醪不能味一河之水，而三军之士思为致死者，以滋味之及己也。《军谶》曰："军井未达，将不言渴；军幕未办，将不言倦；军灶未炊，将不言饥。冬不服裘，夏不操扇，雨不张盖，是谓将礼。"与之安，与之危，故其众可合而不可离，可用而不可疲，以其恩素蓄，谋素和也。故曰：蓄恩不倦，以一取万。

【译文】

用兵的关键，在于尊崇礼节，俸禄优厚。礼节盛大，智谋之士就会来此投奔；俸禄优厚，忠义之士就能视死如归。所以，赐予贤士俸禄时不能吝啬财物，奖赏有功之臣不应有所延误。这样，部属们就能同仇敌忾，敌国的力量就会被削弱。用人之道，就要用封爵以示尊崇，用优厚俸禄供养，这样贤德之士便会自动归附；用礼节接待他，用大义激励他，贤德之士就会以死相报。做将帅必须和士兵同甘苦，共死生，才能领兵作战，这样我军才能大获全胜，敌人大败而归。从前的优良将领，别人送他一瓢美酒，他让人倒在河里，这样就能和士兵共同享用。一瓢酒不能让一河之水都有酒味，但全军上下想要以死相报，这是因为将帅能够与自己同甘共苦啊！《军谶》说："军井没打好，将帅不会说口渴；帐篷没搭好，将帅不会说疲惫；饭菜没做好，将帅不会说饥饿。冬天不穿皮裘，夏天不用扇子，下雨不打雨伞，这就是所谓将帅的礼节。"和士兵同甘苦，共患难，全军就能上下一心，不会离散，能够南征北战不言疲劳。这是将帅平日积累恩德、上下一心的缘故。所以说，不断积累恩德，将帅就能获得万人之心。

【原文】

《军谶》曰：“将之所以为威者，号令也；战之所以全胜者，军政也；士之所以轻战者，用命也。”故将无还令，赏罚必信，如天如地，乃可御人；士卒用命，乃可越境。夫统军持势者，将也。制胜破敌者，众也。故乱将不可使保军，乖众不可使伐人。攻城则不拔，图邑则不废，二者无功，则士力疲弊。士力疲弊，则将孤众悖，以守则不固，以战则奔北，是谓老兵。兵老则将威不行，将无威则士卒轻刑，士卒轻刑则军失伍，军失伍则士卒逃亡，士卒逃亡则敌乘利，敌乘利则军必丧。

【译文】

《军谶》说：“将帅之所以有威信，关键在于号令严明；作战能胜利，关键在于军政优良；士兵不因战争而畏惧，是因为服从命令。”因此将帅号令一出必须施行，赏罚一定要守信，像天地那样不可更改，将帅才能统领军队。士兵听从号令，才能越过边境作战。统率军队、掌控形势的是将帅，获得胜利打败敌人的是士兵。所以，治军没有法度的将帅不能让他统率全军，背离乖戾的士兵不能让他攻打敌人。攻打城池难以获取，攻打国都难以获胜，两者都做不到，全军上下疲劳不堪。全军疲劳不堪，将领就会被孤立，士兵就不听指挥，这样的军队，守卫难以抗敌，作战必然败逃，这就叫作死气沉沉的军队。如此将帅就没有威信；将帅没有威信，士兵就不怕惩罚；士兵不怕惩罚，军队就会混乱；军队一旦混乱，士兵就会败逃；士兵败逃，敌人就会乘机进攻。敌人进攻，我军就一定会失败。

【原文】

《军谶》曰：“良将之统军也，恕己而治人。推惠施恩，士力日新。战如风发，攻如河决。故其众可望而不可当，可下而不可胜。以身先人，故其兵为天下雄。”

【译文】

《军谶》说：“好的将帅统领军队，以推己及人之道治理军队。广施恩泽，军队的战斗力就会日新月异。战斗时就如同狂风一般迅猛，出击时就像大河决堤一样猛烈。所以敌人只能远远望着我军攻克却无法阻挡，俯首投降却没有任何取胜的可能。将帅能够以身作则，军队就能称雄于天下。”

【原文】

《军谶》曰：“军以赏为表，以罚为里。赏罚明，则将威行；官人得，则士卒服；所任贤，则敌国震。”

《军谶》曰：“贤者所适，其前无敌。”故士可下而不可骄，将可乐而不可忧，谋可深而不可疑。士骄则下不顺，将忧则内外不相信，谋疑则敌国奋。以此攻伐则致乱。夫将者，国之命也。将能致胜，则国家安定。

【译文】

《军谶》说：“治理军队应以奖赏为表，以惩罚为里。赏罚严明，将帅的威信才能树立起来；官吏任用得当，士兵才能心服口服；任用德才兼备的人，敌国就会被震慑。”

《军谶》说：“有贤德之士归顺的国家，必定所向披靡，没有敌人。”所以，对待贤德之士只能谦虚恭敬不能傲慢无礼，对待将帅只能让他心生愉悦不能让他产生忧虑，在谋略上只能深思熟虑不能犹豫不定。对待士兵傲慢，下属就难以顺从；将帅心中有担忧，君主和将领之间就无法互相信任；对谋略举棋不定，敌国就会趁机发展自己的势力。在这样的情况下去作战一定会招致祸乱。将帅是国家命运的掌控者，将帅能够攻克敌军，国家便能长治久安。

【原文】

《军谶》曰："将能清，能静，能干，能整，能受谏，能听讼，能纳人，能采言，能知国俗，能图山川，能表险难，能制军权。"故曰，仁贤之智，圣明之虑，负薪之言，廊庙之语，兴衰之事，将所宜闻。将者能思士如渴，则策从焉。夫将拒谏，则英雄散；策不从，则谋士叛；善恶同，则功臣倦；专己，则下归咎；自伐，则下少功；信谗，则众离心；贪财，则奸不禁；内顾，则士卒淫。将有一，则众不服；有二，则军无式；有三，则下奔北；有四，则祸及国。

【译文】

《军谶》说："将帅要能清廉，能镇定，能公正，能严肃，能接受劝谏，能明辨是非，能吸纳人才，能采纳各方意见，能了解各国风俗，能绘制山川地图，能明晓关口险隘，能囊括全军形势。"所以说，但凡是贤臣的聪明才智，君主的深谋远虑，百姓的种种言论，官员的劝谏言论，兴衰存亡的历史事件，都是将帅应该懂得的。将帅能思贤如渴，谋略过人的贤才就会在他身边聚集，将帅对下属的意见充耳不闻，出色的人才就会纷纷离开。如果不听从谋士的直谏，他们就会叛离；好坏不分，有功之臣就会颓唐失色；固执己见，下属就会将错误归到他的身上；自我夸耀，下属就不愿建功立业；听信谗言，全军上下就会失去凝聚力；贪恋钱财，就无法禁止恶行；贪恋美色，士兵就会淫乱不知节制。将帅有了上面一条言行，士兵就不会心悦诚服；有了两条，军队就会失去法度；有了三条，士兵就会战败逃跑；有了四条，就会给国家带来灾难。

【原文】

《军谶》曰："将谋欲密，士众欲一，攻敌欲疾。"将谋密，则奸心闭；士众一，则军心结；攻敌疾，则备不及设。军有此三者，则计不夺。将谋泄，则军无势；外窥内，则祸不制；财入营，则众奸会。将有此三者，军必败。将无虑，则谋士去；将无勇，则吏士恐；将妄动，则军不重；将迁怒，则一军惧。《军谶》曰："虑也，勇也，将之所重；动也，怒也，将之所用。"此四者，将之明诫也。

【译文】

《军谶》上说："将帅的谋略要保密，士兵的思想要上下统一，进攻的行动要迅猛。"将帅的计谋保密，奸细就无机可乘；士兵思想统一，人心就不会离散；攻击迅速猛烈，敌人就来不及防备。做到了以上三点，军队的计划就不会失败。将帅的计谋被泄露，军队就会失去有利的形势；奸细获得内部情报，军队的灾难就会难以抑止；贿赂的财宝进入军营，各种坏事就会发生。将帅有了这三点，军队就一定会大败而归。将帅目光短浅，谋士就会离开；将帅懦弱无能，士兵就会恐惧；将帅轻举妄动，军队就无法稳固；将帅迁怒他人，全军都会畏惧。《军谶》说："目光深远，勇敢果决，是将帅应注重的品质；适时而动，该发怒才发怒，是将帅用兵的方法。"这四点，都是对将帅明确的告诫。

【原文】

《军谶》曰："军无财，士不来；军无赏，士不往。"《军谶》曰："香饵之下，必有悬鱼；重赏之下，必有死夫。"故礼者，士之所归；赏者，士之所死。招其所归，示其所死，则所求者至。故礼而后悔者，士不止；赏而后悔者，士不使。礼赏不倦，则士争死。

【译文】

《军谶》上说："军队中没有钱财，就没有士兵来投靠；军队中没有奖赏，士兵就不会勇往直前。"《军谶》说："在鲜美鱼饵的引诱下，一定会有鱼上钩；在重赏的诱惑下，必有敢于赴死的士兵。"所以，礼可以让士兵愿意归附，但让士兵以死效劳的却是奖赏。以他们所需的东西招引他们，用让他们敢于为之效死的奖赏来明示他们，这样需要的人才就会来到。所以，先前以礼相待后来又反悔，士兵就不愿长留；先前给予奖赏的许诺，后面又反悔的，士兵就不愿意为之效死。要先以奖赏明示他人，后来能够始终如一地礼遇和奖赏，这样士兵才能争先恐后地效死。

【原文】

《军谶》曰："兴师之国，务先隆恩；攻取之国，务先养民。"以寡胜众者，恩也；以弱胜强者，民也。故良将之养士，不易于身；故能使三军如一心，则其胜可全。

【译文】

《军谶》说："想要兴兵作战，就一定要先以恩泽相待；攻占他国，一定要让百姓得以休养生息。"在战争中能够以少胜多，是因为恩泽；能够以弱胜强，是得到百姓支持拥护的结果。所以好的将帅对待士兵，和对待自己没有什么差别；所以能让全军上下万众一心，在战争中就能获得全面的胜利。

【原文】

《军谶》曰："用兵之要，必先察敌情：视其仓库，度其粮食，卜其强弱，察其天地，伺其空隙。敌国无军旅之难而运粮者，虚也；民菜色者，穷也。千里馈粮，民有饥色；樵苏后爨，师不宿饱。夫运粮千里，无一年之食；二千里，无二年之食；三千里，无三年之食：是谓国虚。国虚则民贫，民贫则上下不亲。敌攻其外，民盗其内，是谓必溃。"

【译文】

《军谶》说："用兵的关键在于侦察敌情：了解敌方仓库虚实，估量粮食多少，判断兵力强弱，了解对方的天时地利，寻找可乘之机。所以，敌国没有战争的危难却运送粮食，说明敌国国力空虚；百姓面黄肌瘦，说明敌国民众穷苦。从千里之外运输军备的粮食，百姓们就会挨饿；临时砍柴割草做饭，军队就难以饱足。运粮到一千里之外，国家就缺少一年的粮食；运粮到两千里之外，国家就缺少两年的粮食；运粮到三千里之外，国家就缺少三年的粮食，这都是国力空虚的表现。国力空虚，百姓生活就贫困；百姓生活贫困，官民上下就难以亲近。敌人攻陷在外，百姓在内部动乱，国家就一定会崩溃。”

【原文】

《军谶》曰：“上行虐则下急刻。赋敛重数，刑罚无极，民相残贼：是谓亡国。”

【译文】

《军谶》说：“君主暴虐昏庸，官吏就会严峻苛刻。横征暴敛，刑罚没有节制，百姓之间互相残害：这就叫作亡国。”

【原文】

《军谶》曰：“内贪外廉，诈誉取名；窃公为恩，令上下昏；饰躬正颜，以获高官：是谓盗端。”

【译文】

《军谶》说：“内在贪婪却外表廉洁，凭借欺骗沽名钓誉，盗取公家的官爵俸禄推行个人恩惠，让全军上下都不辨真相；将自己伪装成内在谦恭外表正直的模样，凭此获取高官：这就是窃国的开始。”

【原文】

《军谶》曰：“群吏朋党，各进所亲；招举奸枉，排挫仁贤；背公立私，同位相讪：是谓乱源。”

【译文】

《军谶》说："官吏之间结党营私，各自引荐自己的亲信；招揽奸邪之人，排斥压制仁人贤士；背着朝廷建起自己的威信，谋取私人恩惠，同僚之间互相毁谤攻击：这就是祸乱的开始。"

【原文】

《军谶》曰："强宗聚奸，无位而尊，威无不震；葛藟①相连，种德立恩，夺在权位；侵侮下民，国内哗喧，臣蔽不言：是谓乱根。"

【注释】

①葛藟(lěi)：一种葡萄科的蔓生植物。

【译文】

《军谶》说："豪门大族聚集坏人，虽然没有官爵却地位显赫，威势让人心生畏惧；互相勾结，如同葛藟般盘根错节，私自培养个人恩德，侵夺朝廷权力；欺压穷苦百姓，国内舆论哗然，臣子却隐瞒真相，蒙骗君主：这就叫祸乱之根。"

【原文】

《军谶》曰："世世作奸，侵盗县官；进退求便，委曲弄文，以危其君：是谓国奸。"

【译文】

《军谶》说："世世代代为非作歹，侵占君主的权威；一进一退只想着自己的私利，宛转曲折地玩弄文字，危害君主：这就叫作国之奸贼。"

【原文】

《军谶》曰："吏多民寡，尊卑相若，强弱相虏；

莫适禁御，延及君子，国受其咎。”

【译文】

《军谶》说：“官多民少，不分尊卑，强大的掠夺弱小的；如果不能及时制止，一定会让有德之人受到牵连，国家也一定会遭到祸患。”

【原文】

《军谶》曰：“善善不进，恶恶不退，贤者隐蔽，不肖在位，国受其害。”

【译文】

《军谶》说：“喜欢好人却不予以任用，厌恶坏人却不予以排斥，贤能之士被迫深居简出，不才之人却掌权执政，这样的国家一定会遭受危害。”

【原文】

《军谶》曰：“枝叶强大，比周居势，卑贱陵贵，久而益大，上不忍废，国受其败。”

【译文】

《军谶》说：“皇族宗室势力强大，互相结党，占据要职，卑贱的侵凌高贵的，时间久了，势力越来越大，君主不忍心废除，国家就会遭受败坏。”

【原文】

《军谶》曰：“佞臣在上，一军皆讼。引威自与，动违于众。无进无退，苟然取容。专任自己，举措伐功。诽谤盛德，诬述庸庸。无善无恶，皆与己同。稽留行事，命令不通。造作奇政，变古易常。君用佞人，必受祸殃。”

【译文】

《军谶》说："奸佞臣子掌握大权，全军都要责备不已。他们依靠别人的权势助长自己的气焰，一举一动都违背众人的心意。他们不知进退，只知道讨君主的欢心。他们刚愎自用，稍有行动就标榜自己的功劳。他们诽谤污蔑有德有功之人，说他们无德无能。他们心中不分善恶，凡事但求符合自己心意。他们将政务公文积压下来，让上面的命令无法迅速地传达到下级。他们在政治上标新立异，任意更改古代制度，变换常规之法。君主如果任用这种奸佞之人，一定会遭受祸殃。"

【原文】

《军谶》曰："奸雄相称，障蔽主明。毁誉并兴，壅塞主聪。各阿所私，令主失忠。"

【译文】

《军谶》说："奸雄互相恭维标榜，蒙蔽君主的眼睛，让他无法明辨是非。诽谤和吹捧同时兴起，堵塞君主的耳朵，让他无法分辨善恶。他们各自偏袒自己的亲信，让君主失去忠臣。"

【原文】

故主察异言，乃睹其萌。主聘儒贤，奸雄乃遁。主任旧齿，万事乃理。主聘岩穴，士乃得实。谋及负薪，功乃可述。不失人心，德乃洋溢。

【译文】

因此，君主能够明察诡辩的言论，才能看出祸乱的萌芽。君主聘用有学问的贤德之人，奸人便会远远逃遁。君主任用德高望重的老人，万事就能有条有理。君主恳请山林中的世外高人出山，才能获得有真才实学的贤士。君主谋划事情时能听取百姓的意见，才有可以彪炳史册的功绩。君主不失去人心，德政才能名扬天下。

中　略

中略主要讲述君主治国、主帅治军时要如何根据德行任用贤能之士，根据表象洞悉国家兴衰和敌方形势，强调君主在战争结束后如何以爵位土地等削弱主帅的实力，保证国家安定；为人臣也必须明白“高鸟死，良弓藏；敌国灭，谋臣亡”的道理，选择“全功保身”。

【原文】

夫三皇无言而化流四海，故天下无所归功。

帝者，体天则地，有言有令，而天下太平。君臣让功，四海化行，百姓不知其所以然。故使臣不待礼赏有功，美而无害。

王者，制人以道，降心服志；设矩备衰，四海会同，王职不废。虽有甲兵之备，而无斗战之患。君无疑于臣，臣无疑于主，国定主安。臣以义退，亦能美而无害。

霸者，制士以权，结士以信，使士以赏。信衰则士疏，赏亏则士不用命。

【译文】

三皇不需要任何言论，教化便会流行于四海之外，所以天下的人都不知道将功劳归于谁。

五帝体察效法天地的运行规律，有言论也有命令，天下因而太平安稳。君主和臣子相互谦让功绩，四海之内教化先行，百姓却不知道出现这样局面的原因。所以使用臣下不必依靠礼法和奖赏，君臣之间就能和睦没有嫌隙。

三王以道德治理百姓，让人心悦诚服；设定法规防止世道衰败，让天下诸侯按时朝见，朝廷的官职不形同虚设。虽然有甲胄兵器的军备，却没有战争的灾祸。君主对臣子不怀疑，臣子也不怀疑君主。国家太平君主安康，臣子功成后适时隐退，君臣之间和美没有嫌隙。

五霸凭借权术制约士人，以信任与士人结交，用奖赏役使士人。信任减少，士人就会疏远君主，奖赏减少，士人就会不服从调度。

【原文】

《军势》曰：“出军行师，将在自专；进退内御，则功难成。”

【译文】

《军势》说：“出兵打仗，重在将帅可以自行裁决；如果军队的一进一退都要受到君主的控制，就很难获得战争的胜利。”

【原文】

《军势》曰：“使智、使勇、使贪、使愚：智者乐立其功，勇者好行其志，贪者邀趋其利，愚者不顾其死，因其至情而用之，此军之微权也。”

【译文】

《军势》说：“要这样使用有智谋的人、有胆略的人、贪婪的人和愚钝的人：有智谋的人喜欢建立功业，有胆略的人喜欢实现自己的志向，贪财的人追求丰厚的利禄，愚钝的人不会吝惜自己的性命，根据他们各自的特点来役使他们，这就是军中用人的微妙权术。”

【原文】

《军势》曰：“无使辩士谈说敌美，为其惑众；无使仁者主财，为其多施而附于下。”

【译文】

《军势》说：“不要让能言善辩的人谈论敌人的优势，因为这样会迷惑扰乱人心；不要让宅心仁厚的人管理财务，因为他会多给予钱财来满足下属。”

【原文】

《军势》曰：“禁巫祝，不得为吏士卜问军之吉凶。”

【译文】

《军势》上说：“军队之中要禁绝鬼神占卜，不要让他们给将士们占卜吉凶。”

【原文】

《军势》曰：“使义士不以财。故义者不为不仁者死，智者不为暗主谋。”

【译文】

《军势》上说：“役使正义之士不能依靠钱财。所以，义士是不会为不仁之人赴死的，明智的人是不会替昏庸的君主谋划的。”

【原文】

主不可以无德，无德则臣叛；不可以无威，无威则失权。臣不可以无德，无德则无以事君；不可以无威，无威则国弱，威多则身蹶。

【译文】

君主不可以没有德行，没有德行臣子就会背叛他；不能没有威严，没有威严就会失去权力。大臣不可以没有德行，没有德行就不能辅佐君主；大臣也不能没有威严，没有威严国家就会衰败，大臣威严太盛则会让自己栽跟头。

【原文】

故圣王御世，观盛衰，度得失，而为之制。故诸侯二师，方伯三师，天子六师。世乱，则叛逆生；王泽竭，则盟誓相诛伐。德同势敌，无以相倾，乃揽英雄之心，与众同好恶，然后加之以权变。故非计策无以决嫌定疑，非谲奇无以破奸息寇，非阴谋无以成功。

【译文】

所以圣明的君主统治天下，会仔细观察盛衰变更，定夺人事得失，然后依此定下制度。所以诸侯管理二军，方伯管理三军，君主管理六军。天下大乱就会产生叛逆；君主恩泽枯竭，诸侯之间的结盟和攻伐就会出现。如果诸侯之间势均力敌，谁也无法战胜对方，就会争相招揽英雄豪杰，与众人同好恶，然后再使用权术。所以不用计谋就无法决断判定嫌疑；不能出奇就无法打败奸寇，不暗中谋划，是无法获得成功的。

【原文】

圣人体天，贤者法地，智者师古。是故《三略》为衰世作。《上略》设礼赏，别奸雄，著成败；《中略》差德行，审权变；《下略》陈道德，察安危，明贼贤之咎。故人主深晓《上略》，则能任贤擒敌；深晓

《中略》，则能御将统众；深晓《下略》，则能明盛衰之源，审治国之纪。人臣深晓《中略》，则能全功保身。夫高鸟死，良弓藏；敌国灭，谋臣亡。亡者，非丧其身也，谓夺其威废其权也：封之于朝，极人臣之位，以显其功；中州善国，以富其家；美色珍玩，以说其心。夫人众一合而不可卒离，威权一与而不可卒移。还师罢军，存亡之阶。故弱之以位，夺之以国，是谓霸者之略。故霸者之作，其论驳也。存社稷罗英雄者，《中略》之势也。故世主秘焉。

【译文】

圣人体察天之道，贤德之人能够从地之理中取法，智慧的人能够以古为师。所以《三略》是为衰微世道所作的。《上略》设立礼节奖赏，提供辨识奸雄、预示成败的方法；《中略》明晰德行，研究权术变化；《下略》陈述道德，明察安危，讲述残害贤德之人的罪责。所以，君主通晓《上略》，就能够选贤任能、克敌制胜；君主通晓《中略》，就能够役使将领，统领三军了；君主通晓《下略》，就能清楚兴衰更替的根本，了解治国法度了。臣子知晓《中略》，就能够建立功业，保全身家性命。高飞的鸟死了，精良的弓就要收起来；敌国灭亡了，谋臣就要消灭。所谓消灭，并非消灭他们的肉体，而是削弱他们手中的权势，废掉他们手中的权力：在朝廷上给予封赏，给他们臣子中最高的爵位，来表彰他们的功绩；赠给他们中原最为肥沃的土地，让他们家中富足；赏给他们美女珍宝，让他们心情愉快。士兵一旦编为军队，就不能仓促解散；兵权一旦授予，就不能立刻收回。战争结束将帅班师回朝，对君主来说是生死存亡的关键所在。所以，要以分封官职为名削弱他们的实力，以分封土地为名夺取他们的兵权，这就是霸者役使将领的策略。因此霸者的行为是复杂难懂的。保全国家，拉拢天下英雄，就是《中略》所谓的权术变化。所以历代君主对此都秘而不宣。

下　略

下略主要讲述“人”与“政”的重要性，盛衰的根源在于获得民心，国家政令法度也要依据百姓的实际情况制定。统治者要注重道德，推崇圣贤以治国安邦，同时注重以礼乐教化和悦民心。

【原文】

夫能扶天下之危者，则据天下之安；能除天下之忧者，则享天下之乐；能救天下之祸者，则获天下之福。故泽及于民，则贤人归之；泽及昆虫，则圣人归之。贤人所归，则其国强；圣人所归，则六合同。求贤以德，致圣以道。贤去，则国微；圣去，则国乖。微者危之阶，乖者亡之征。

【译文】

能够挽救天下危亡的，就能获得天下的安宁；能够解除天下忧患的，就能享受天下的欢乐；能够拯救国家于灾祸之中的，就能获得天下的福泽。所以恩泽遍及百姓身上，贤人就会归附他；恩泽遍及世间万物，圣人就会归附他。贤人归附的地方，国家就会强盛；圣人归附的地方，天下就能统一。让贤人归附要用“德”，让圣人归附要用“道”。贤人离开，国家就会衰微；圣人离开，国家就会陷入混乱。衰弱是通往危险的阶梯，不和是灭亡的先兆。

【原文】

贤人之政，降人以体；圣人之政，降人以心。体降可以图始，心降可以保终。降体以礼，降心以乐。所谓乐者，非金石丝竹也，谓人乐其家，谓人乐其族，谓人乐其业，谓人乐其都邑，谓人乐其政令，谓人乐其道德。如此，君人者乃作乐以节之，使不失其和。故有德之君，以乐乐人；无德之君，以乐乐身。乐人者，久而长；乐身者，不久而亡。

【译文】

贤人的政治，让人从行动上服从；圣人执政，能让人从内心服从。从行动上服从能够和他一起谋划开创功业；从内心服从才能善始善终。让人从行动上服从需要依靠礼教，让人从内心顺从需要的是乐教。所谓乐教，并不只是钟鼓琴箫类的乐器，而是要让人人喜爱自己的家庭，人人喜爱自己的宗族，人人喜爱自己的工作，人人喜爱自己的城邑，人人喜爱国家的政令，人人喜爱社会的道德。像这样，统治的君主制作音乐予以调和，让社会不失和谐。所以有德行的君主，用音乐让天下人快乐；没有德行的君主，用音乐来自娱自乐。让天下人快乐，国家才能长久安定；只顾自己快乐的，就会造成国家的覆亡。

【原文】

释近谋远者，劳而无功；释远谋近者，佚而有终。佚政多忠臣，劳政多怨民。故曰务广地者荒，务广德者强；能有其有者安，贪人之有者残。残灭之政，累世受患。造作过制，虽成必败。

【译文】

放下近的谋划远的，辛苦却没有功绩；放下远的谋划近的，安逸并且有所收获。让民众休养生息，国家就会出现忠臣；让百姓辛劳，民众就会抱怨憎恶君主。所以说，致力于对外扩张的国家败亡，致力于推广恩德的国家强盛；能保持自己既有的，国家就会安定；一心贪图别人所有的，国家就会毁灭。政治残酷暴虐，国家世代都要受到牵连；大兴土木没有节制，即使建成了也必会败坏。

【原文】

舍己而教人者逆，正己而教人者顺。逆者乱之招，顺者治之要。

【译文】

不先端正自己却去教化别人，有悖于常理；自己先端正，然后再去教化别人，才顺应情理。悖于常理会招来灾祸，顺应常理是国家长治久安的关键所在。

【原文】

道、德、仁、义、礼五者一体也：道者，人之所蹈；德者，人之所得；仁者，人之所亲；义者，人之所宜；礼者，人之所体：不可无一焉。故夙兴夜寐，礼之制也；讨贼报仇，义之决也；恻隐之心，仁之发也；得己得人，德之路也；使人均平，不失其所，道之化也。

【译文】

道、德、仁、义、礼，这五者是一个整体。道，是人们遵循的规律；德，是人们获得的修养；仁，是人们相互之间的亲近；义，是人们应当做的事；礼，是人们行为的规范。这五点都不可或缺。所以晨起夜眠，要遵循礼的规范；讨伐贼人，是凭借义做的决断；心有不忍，是仁的开始；以自我涵养来教育别人，是德的途径；让人人平等，各得其所，是道的教化。

【原文】

出君下臣名曰命，施于竹帛名曰令，奉而行之名曰政。夫命失，则令不行；令不行，则政不正；政不正，则道不通；道不通，则邪臣胜；邪臣胜，则主威伤。

【译文】

君主向下发布的指示叫“命”，写在竹帛上的叫“令”，按照命令办事称为“政”。一旦“命”有偏差，“令”就无法推行；“令”无法推行，“政”就会无法得到适当施行。“政”无法适当施行，“道”就难以通行；“道”无法通行，奸邪的臣子就会气焰高涨；奸邪的臣子气焰高涨，君主的威信就会受到伤害。

【原文】

千里迎贤，其路远；致不肖，其路近。是以明王舍近而取远，故能全功尚人，而下尽力。

【译文】

到千里之外迎请贤德之人，路途是遥远的；招来不才之人，路途是非常方便的。所以，明智的君主总是能放弃身边的不才之人，到千里之外寻访贤德之人。因而能够保全功业尊崇贤德之人，臣子也会尽心尽力。

【原文】

废一善，则众善衰；赏一恶，则众恶归。善者得其祐，恶者受其诛，则国安而众善至。

【译文】

废黜一个贤德之人，众多的贤人就会引退；奖赏一个奸恶之人，众多的恶人就会蜂拥而来。贤德之人受到护佑，奸恶之人受到惩罚，国家就会安定，贤人就会奔涌而来。

【原文】

众疑无定国，众惑无治民。疑定惑还，国乃可安。

【译文】

百姓都心生疑虑，国家就无法安定；百姓都困惑不已，社会就难以长治久安。疑虑消散迷惑解除，国家才能安定。

【原文】

一令逆则百令失，一恶施则百恶结。故善施于顺民，恶加于凶民，则令行而无怨。使怨治怨，是谓逆天；使仇治仇，其祸不救。治民使平，致平以清，则民得其所而天下宁。

【译文】

一项法令不合民意，就会让许多法令失去效用；一件坏事得以施行，许多恶果都会产生。所以，对顺从的民众要施行仁政，对奸恶之人要严厉惩处。这样，法令就能自上而下贯通，百姓没有怨言。用百姓怨恨的法令治理心怀怨恨的百姓，就叫作违背天道；用百姓仇恨的法令治理心存仇恨的百姓，祸患将无法挽救。统治百姓要让他们平顺，平顺要凭借政治清明，这样百姓就会各安其所，天下便会平安稳定。

【原文】

犯上者尊，贪鄙者富，虽有圣王，不能致其治。犯上者诛，贪鄙者拘，则化行而众恶消。

【译文】

冒犯上级的人成为尊贵的官员，贪婪鄙陋的人占有财富，即使有明智的君主，也无法将国家治理好。只有冒犯上级的人遭到诛杀，贪婪鄙陋的人被拘禁，教化才能施行，各种邪恶才得以消除。

【原文】

清白之士，不可以爵禄得；节义之士，不可以威刑胁。故明君求贤，必观其所以而致焉。致清白之士，修其礼；致节义之士，修其道。而后士可致而名可保。

【译文】

品行高洁的人，是无法用官位和俸禄收买的；有节操的正义之士，是无法用权威和刑罚压迫服的。所以明智的君主寻访贤德之士，必须依照他的特点招揽。招揽品行高洁的人，要注重礼节；招揽有节操的正义之士，要依靠建立道义。这样才能寻访到贤人，君主的英明才可以得以保全。

【原文】

夫圣人君子明盛衰之源，通成败之端，审治乱之机，知去就之节，虽穷不处亡国之位，虽贫不食乱邦之禄。潜名抱道者，时至而动，则极人臣之位；德合于己，则建殊绝之功。故其道高而名扬于后世。

【译文】

明智的圣人君子能够知晓兴衰的根源所在，了解成败的缘由，洞察兴盛治乱的关键所在，知道去留的分寸。再穷困也不做将亡之国的官吏，再贫苦也不苟得衰微之邦的丰厚俸禄。胸怀经邦治世之道却隐姓埋名的人，等时机到来行动，就可以位居大臣的最高位。遇到志趣相投的君主，就能建立卓越的功勋。所以他们道行高明的美名扬于后世。

【原文】

圣王之用兵，非乐也，将以诛暴讨乱也。夫以义诛不义，若决江河而溉爝火，临不测而挤欲堕，其克必矣。所以优游恬淡而不进者，重伤人物也。夫兵者不祥之器，天道恶之；不得已而用之，是天道也。夫人之在道，若鱼之在水，得水而生，失水而死。故君子者常畏惧而不敢失道。

【译文】

明智的君主使用兵力，并非出于喜爱战争，而是用来讨伐暴乱叛逆的。以正义征讨不义，就如同决开江河的水浇灭火把一样，在深渊边上推一个摇摇欲坠的人，胜利是必然的。明智的君主因此安静淡泊，不轻易出兵，是因为战争带来的人员和物资消耗巨大。战争是不吉祥的东西，被天道所厌恶；只有在迫不得已的情况下作战，才合乎天道。人在天道中，如同鱼游于水中，得到水就能生存，失去水就会死亡。所以君子常常心存敬畏，不敢轻易背离天道。

【原文】

豪杰秉职，国威乃弱；杀生在豪杰，国势乃竭。豪杰低首，国乃可久；杀生在君，国乃可安。四民[1]用虚，国乃无储；四民用足，国乃安乐。

【注释】

①四民：即士农工商。《汉书·食货志上》记载：“士农工商，四民有业：学以居位曰士，辟土殖谷曰农，作巧成器曰工，通财鬻货曰商。”

【译文】

专权的豪强把持朝政，君主的威信就会得到削弱；生杀大权握在豪强手中，国家的权势就会衰微。专权的豪强低头听从命令，国家才能长久存在；生杀之权掌握在君主手中，国家才能安定。士农工商穷困潦倒，国家就没有资财储备；士农工商富足，国家才能安乐。

【原文】

贤臣内[1]，则邪臣外[2]；邪臣内，则贤臣毙。内外失宜，祸乱传世。

【注释】

①内：亲近。

②外：疏远。

【译文】

亲近贤臣，奸臣就会被排斥疏远；亲近奸臣，贤臣就会被害死。亲疏不得当，祸乱就会延续到后世。

【原文】

大臣疑[1]主，众奸集聚。臣当君尊，上下乃昏；君当臣处，上下失序。

【注释】

①疑：通“拟”，比拟。

【译文】

大臣能与君主相比拟，众多的奸臣就会聚集而来。大臣享受和君主一样尊贵的地位，上下就会产生混乱。君主沦落到臣子的地位，上下就失去了应有的秩序。

【原文】

伤贤者，殃及三世；蔽贤[1]者，身受其害；嫉贤者，其名不全；进贤者，福流子孙。故君子急于进贤而美名彰焉。

【注释】

①蔽贤：埋没贤德之人。

【译文】

迫害贤德之人，祸患就会波及子孙三代；埋没贤德之人，自己就会遭到戕害；妒忌贤德之人，名誉就难以保全；推荐贤德之人，恩泽会延续到子孙后代。所以君子总是热心推荐贤德之人而美名远扬。

【原文】

利一害百，民去城郭[1]；利一害万，国[2]乃思散。去一利百，人乃慕泽；去一利万，政乃不乱。

【注释】

①城：内城。郭：外城。

②国：此处指代一国之人。

【译文】

对一个人有好处却对百人有害，民众就会离开都城；对一个人有好处却对万人有害，全国的人都会想要离散。除去一个人却对百人有益，人们就会感慨思慕他的恩泽；除掉一人却对万人有利，政治就不会发生混乱了。